Roberto Shinyashiki

O sucesso é ser feliz

*Para Claudia,
um ponto de luz no horizonte.*

Agradecimentos

Aos meus filhos Leandro, Ricardo, Arthur, André e Marina, por serem meus companheiros de viagem e me darem a honra de ter me escolhido para estarmos juntos nessa jornada.

À turma do MBA Executivo da Universidade de São Paulo, especialmente a James Wright, Marcos Campomar e Lindolpho Albuquerque, pela convivência muito produtiva.

Aos meus amigos Lucia Moreira Shinyashiki, Miguel Filiage, Bene Catanante, Felix Barbosa, Silvia Mestriner e Magy Imoberdorf, pela força que vocês me dão em todos os momentos.

A todos aqueles que leram os manuscritos originais e deram sugestões valiosas, especialmente Maria Julia Paes da Silva, Ivan Evangelista Júnior, Roberto Lang e Maria Aparecida Scarelli.

A Ricardo Lerner, Caio Alfaia, Lucia de Bartolo, Anamaria Cohen, Eva Natalina Lavezzo e a toda a turma dos nossos projetos assistenciais, por serem tão generosos com a humanidade.

À turma dos Palestrantes Campeões, que tem batalhado para criar um mundo em que a felicidade seja um direito de todos.

À turma do Instituto Gente e da Editora Gente, por cuidar de meus assuntos mundanos para que eu possa fazer meus voos existenciais.

A Rosely Boschini, Ricardo Shinyashiki, Alessandra Ruiz, Gilberto Cabeggi, Margaret Miraglia, Paulo Soares e Pedro Boschini, pelo apoio de sempre.

Como em tudo o que faço em minha vida, a gratidão a meus pais por me prepararem para a vida com muito amor e garra.

E, mais do que tudo, a você, que investe sua energia e tempo para criar uma vida de plenitude.

Você me motiva cada dia mais!

Algumas palavras sobre a nova edição de *O sucesso é ser feliz*

Você merece ser feliz, e isso tem de ser muito mais que um sonho: tem de ser um estilo de vida.

Viver com insônia por causa das preocupações não pode ser uma rotina.

Não ter um amigo com quem sair no sábado à noite não pode ser uma maldição.

Não ter um companheiro para amar não pode ser seu destino.

Viver angustiado, com medo de perder o que se conquistou não é uma opção de vida.

Há mais de quinze anos, escrevi *O sucesso é ser feliz* movido pela forte crença de que as pessoas precisam buscar fazer sua vida valer a pena.

A ideia de escrever este livro nasceu no final da década de 1980. Foi nessa época que a imprensa começou a se interessar pelo meu trabalho, e havia sempre alguns jornalistas que me acompanhavam em minhas viagens pelo Brasil. Era um trabalho duro, pois eu chegava a fazer duas palestras em duas cidades diferentes no mesmo dia, por exemplo Recife de manhã e Porto Alegre à noite.

Ao final de uma semana me acompanhando em uma maratona de aeroportos, aviões comerciais e particulares, em que eu atendia a um público de milhares de pessoas, dava centenas de autógrafos e tirava fotos no final de cada palestra, uma jornalista de uma grande revista que estava fazendo sua última entrevista comigo para concluir seu trabalho me perguntou: "Quando é que você se sente um homem de sucesso: quando é aplaudido no palco, quando vê vários livros seus nas listas dos mais vendidos, ou quando as pessoas se aproximam para pedir um autógrafo?"

Parei por um instante, pensei e respondi: "Tudo isso me deixa muito feliz e faz com que eu sinta que tenho sucesso, pois quando isso acontece, sei que de alguma maneira consegui ajudar as pessoas a realizarem seus objetivos. Mas eu me sinto mesmo um homem de sucesso quando volto para casa e minha mulher me beija, meus filhos me abraçam e todos comemoram minha chegada. Porque, mais que tudo, para mim o sucesso é ser feliz".

Fiquei então com essa frase na cabeça – o sucesso é ser feliz – e decidi que algum dia eu escreveria um livro com esse tema. E foi assim que nasceu esta obra.

Nesse tempo todo, esse livro vendeu mais de 1,5 milhão de exemplares e os e-mails que eu recebo mostram que ele continua ajudando muitas pessoas. Agora, reescrevendo este livro, quero dizer a você que para mim o sucesso maior continua sendo esses momentos de carinho, amor, aconchego e intimidade.

Mas existem outros momentos em que sinto ter muito sucesso: são aqueles em que abro meu computador e recebo sua mensagem, dizendo que meus livros o ajudaram a mudar sua vida para melhor. É nesses momentos que sinto que estou fazendo o que me propus a fazer: ajudar pessoas a se tornarem mais felizes.

Sucesso é realizar sua missão de vida.

Resolvi escrever uma nova versão desta obra para que ela fique mais atual e sintonizada com os dias de hoje, e também porque, afinal de contas, depois desses anos todos de experiência e convivência com você, sinto que tenho novas coisas a lhe dizer. Mas fiz isso acima de tudo para continuar a ajudar você a ser feliz, ajudando outras pessoas a também serem felizes.

Se você já leu a primeira edição, vai perceber que esta está muito mais objetiva e dinâmica, com novas orientações para você pôr em prática para ter uma vida plena. Se esta é a primeira vez que está lendo este livro, desejo de coração que aproveite o que deixei aqui, pois isso pode mudar sua vida, assim com já fez com milhares de pessoas.

Sucesso sem felicidade é uma das piores formas de fracasso. Sem felicidade o sucesso é apenas uma caixa vazia, mas muito pesada de carregar.

Neste mundo de cobranças e preocupações, é fundamental sempre manter o questionamento sobre o que nos faz feliz. A felicidade não pode ser uma decisão passageira; deve ser uma maneira de viver.

Se você quer alguns minutos de felicidade, tome um sorvete.
Se você quer uma hora de felicidade, veja um filme alegre.
Se você quer uma semana de felicidade, faça um cruzeiro.
Se você quer um mês de felicidade, compre um carro novo.
Se você quer um ano de felicidade, compre uma casa nova.
Mas se você quer uma vida de plenitude, ajude as pessoas a serem felizes.

Mais do que nunca, é preciso falar de felicidade. Mais que isso, é preciso aprender a buscar, encontrar, cultivar e viver a felicidade neste mundo em que estamos.

Então, tenha sucesso, mas um sucesso acompanhado de muita felicidade, de muita alegria de viver, de muito senso de propósito e de muita dedicação à sua missão. Que você coloque sempre um sorriso no rosto de muitas pessoas.

Como sempre, torço para você ser muito feliz!

São Paulo, janeiro de 2012

Felicidade e sucesso para você!
Um grande abraço,
Roberto Shinyashiki

Sumário

UMA CRÔNICA SOBRE O VIVER 13

É PRECISO FAZER A REVOLUÇÃO DA FELICIDADE 17

A BUSCA DA FELICIDADE 21

AGARRE A CHANCE DE MUDAR SUA VIDA 29
Dâmocles 37
Sísifo 60
Midas 85

ABANDONE OS MITOS DO PASSADO E CRIE SEU FUTURO 109
Teste: os três mitos da infelicidade 110
Crie um você melhor 114

ALGUNS PASSOS PARA SER FELIZ 117
Passo 1: Saiba o que faz você feliz e busque isso 118
Passo 2: Ame as pessoas do jeito que elas são 119

Passo 3: Ajude as pessoas a serem felizes   122
Passo 4: Realize seus sonhos   124

A FELICIDADE ACONTECE AGORA!   131
Não deixe sua vida para depois   131
Lambuze-se de vida   136
Curta a vida!   138

Uma crônica sobre o viver

Era seu último dia de vida, mas ele ainda não sabia disso.
Naquela manhã, sentiu vontade de dormir mais um pouco. Estava cansado porque na noite anterior fora se deitar muito tarde. Também não havia dormido bem. Teve um sono agitado. Mas logo abandonou a ideia de ficar um pouco mais na cama e se levantou, pensando na montanha de coisas que precisava fazer na empresa.
Lavou o rosto e fez a barba correndo, automaticamente. Não prestou atenção no rosto cansado nem nas olheiras escuras, resultado das noites maldormidas. Nem sequer percebeu um aglomerado de pelos teimosos que escaparam da lâmina de barbear.
"A vida é uma sequência de dias vazios que precisamos preencher", pensou enquanto jogava a roupa por cima do corpo.
Engoliu o café e saiu resmungando baixinho um "bom dia", sem convicção. Desprezou os lábios da esposa, que se ofereciam para um beijo de despedida. Não notou que os olhos dela ainda guardavam a doçura de mulher apaixonada, mesmo depois de tantos anos de casamento.

Claro que ele não teve tempo para esquentar o carro e nem para sorrir quando o cachorro, alegre, abanou o rabo. Deu a partida e acelerou. Ligou o rádio, que tocava uma antiga canção do Roberto Carlos, "detalhes tão pequenos de nós dois..."

Pensou que não tinha mais tempo para curtir detalhes tão pequenos da vida. Anos atrás, gostava de assistir ao programa de Roberto Carlos nas tardes de domingo. Mas isso fazia parte de outra época, quando podia se divertir mais.

Pegou o telefone celular e ligou para sua filha. Sorriu quando soube que o netinho havia dado os primeiros passos. Ficou sério quando a filha lembrou-o de que há tempos ele não aparecia para ver o neto e o convidou para almoçar. Ele relutou bastante: gostaria muito de estar com o neto, mas não podia, naquele dia, dar-se ao luxo de sair da empresa. Agradeceu o convite, respondendo que seria impossível. Quem sabe no próximo fim de semana? Ela insistiu, disse que sentia muita saudade e queria estar com ele na hora do almoço. Mas ele foi irredutível: realmente, era impossível.

Chegou à empresa e mal cumprimentou as pessoas. A agenda estava totalmente lotada. Era muito importante começar logo a atender seus compromissos. Pessoas de valor não desperdiçam seu tempo com conversa fiada.

No que seria sua hora do almoço, pediu para a secretária trazer um sanduíche e um refrigerante diet. O colesterol estava alto. Precisava fazer um check-up. Mas isso ficaria para o mês seguinte. Começou a comer enquanto lia alguns papéis que usaria na reunião da tarde. Nem sentiu o gosto do lanche que estava mastigando.

Enquanto relacionava os telefonemas que deveria dar, sentiu um pouco de tontura, a vista embaçou. Lembrou-se do médico advertindo-o, alguns dias antes, quando tivera os mesmos sintomas, de que estava na hora de fazer um check-up. Mas ele logo concluiu que era um mal-estar passageiro, que seria resolvido com um café forte, sem açúcar.

Terminado o "almoço", escovou os dentes e voltou à sua mesa. "A vida continua", pensou. Mais papéis para ler. Mais decisões a tomar. Mais compromissos a cumprir. Nem tudo saía como ele queria. Começou a gritar com o gerente, exigindo que este cumprisse o prometido. Afinal, ele estava sendo pressionado pela diretoria. Tinha de mostrar resultados. Será que o gerente não conseguia entender isso?

Saiu para a reunião já meio atrasado. Não esperou o elevador. Desceu as escadas pulando de dois em dois degraus. Parecia que a garagem estava a quilômetros de distância, encravada no miolo da terra, e não no subsolo do prédio.

Entrou no carro, deu a partida e, quando ia engatar a primeira marcha, sentiu de novo o mal-estar. Agora havia uma dor forte no peito. O ar começou a faltar... a dor foi aumentando... o carro desapareceu... os outros carros também... Os pilares, as paredes, a porta, a claridade da rua, as luzes do teto, tudo foi sumindo diante de seus olhos. Ao mesmo tempo, surgiam cenas de um filme que ele conhecia bem, mas era como se estivesse passando em câmera lenta. Quadro a quadro, ele via a esposa, o netinho, a filha e, umas após outras, todas as pessoas de que mais gostava.

Por que mesmo não tinha almoçado com a filha e o neto? O que a esposa tinha dito à porta de casa quando ele estava saindo, hoje de manhã? Por que não foi pescar com os amigos no último feriado? A dor no peito persistia, mas agora outra dor começava a perturbá-lo: a do arrependimento. Não conseguia distinguir qual era a mais forte, a da coronária entupida ou a de sua alma rasgando.

Escutou o barulho de alguma coisa quebrando dentro de seu coração, e de seus olhos escorreram lágrimas silenciosas. Queria viver, queria ter mais uma chance, queria voltar para casa e beijar a esposa, abraçar a filha, brincar com o neto... Queria... Queria... Mas não havia mais tempo...

Agora estava claro: a dor que mais doía era o vazio de uma vida desperdiçada.

É preciso fazer a revolução da felicidade

Quando observo o estilo de vida da maioria das pessoas, percebo que o final do filme é quase sempre bastante triste: muita correria sem sentido, preocupação, alegrias de menos, frustrações de sobra.

Pais que, mesmo amando os filhos, não conseguem transformá-los em adultos bem formados; indivíduos que não conseguem transformar o carinho pela pessoa amada em relacionamento gratificante; profissionais que não conseguem transformar seu talento em realizações produtivas. Muita gente rica agindo de modo mesquinho em relação ao próximo.

Depois de minhas palestras, muitas pessoas me procuram para falar das pressões que sofrem. Perguntam "Será que tudo isso está valendo a pena?".

A angústia tem sido uma companheira constante de todos.

A luta pela sobrevivência está brutalizando o ser humano, que vive extremamente pressionado. A competição serve como justificativa para todos os tipos de absurdos. Milhares de anos depois do homem das cavernas, a vida continua sendo um campo de batalhas. As pessoas destroem a si mesmas e aos outros para atingir suas metas. A maneira como constroem seu sucesso é agressiva. A vitória é saboreada solitariamente, por medo dos adversários e da inveja alheia.

Tenho a impressão de que algumas pessoas hoje em dia se acostumaram tão bem a lidar com aparelhos e computadores que acabam tratando os outros como máquinas.

Há empresas cujos gerentes, com mais de dez anos de casa, sofreram infarto. Em muitas delas, as pessoas são consumidas como laranjas: espreme-se o suco e joga-se fora o que delas sobrou, o bagaço. Perdeu-se a dimensão do ser humano.

O resultado é o pior possível: os líderes sentem-se abandonados em suas empreitadas; os funcionários desistem dos projetos de implantar novas soluções porque não têm motivação; o pessoal da produção se sente menos valorizado do que as máquinas. As torres de Babel modernas estão dentro das empresas. Cada qual fala uma língua diferente, age isoladamente, faz do companheiro um adversário ou, pior ainda, um extraterrestre que se expressa em um idioma incompreensível.

É impressionante o aumento do número de famílias desagregadas, do consumo de drogas e da violência insana que nos cerca. A sociedade transformou-se em um liquidificador de sonhos, triturando a nobreza da maioria dos indivíduos.

Hoje, as pessoas se orientam com base em ideias e métodos que já não têm relação com a própria existência. Alimentam-se, por exemplo, seguindo uma dieta da moda. Ou sentindo culpa.

A comida perdeu a função de proporcionar prazer para se transformar em medicamento. Há quem não coma corretamente por medo de engordar, dos agrotóxicos, da contaminação, dos malefícios para essa ou aquela doença. Põe carne no prato para consumir proteína; toma leite por causa do cálcio.

Os sonhos, por sua vez, vão sendo substituídos por destruição.

Na adolescência, muitos querem viver um grande amor, mas, depois de um tempo, simplesmente tratam o companheiro como um objeto descartável.

Na juventude, muitos falam em mudar o planeta, realizar-se profissionalmente. O tempo passa e a maior motivação para trabalhar vira apenas colecionar números na conta bancária e juntar o máximo possível de dinheiro.

Muita gente quer ter filhos, mas depois que eles nascem simplesmente os entrega às babás.

No começo da vida profissional, toda pessoa quer um trabalho que a realize. Algum tempo depois, essa realização significa conseguir dinheiro suficiente para comprar tudo aquilo que se deseja ou para pagar as contas no final do mês.

Chamam a isso processo de maturidade. Falam que substituímos a ingenuidade pelo realismo. Na verdade, o que ocorre é um empobrecimento da vida. Os sonhos vão se atrofiando, diminuindo em tamanho, até se reduzirem a prêmios de consolação.

Como uma loteria, a sociedade cria prêmios. Todos apostam sua vida, mas poucos efetivamente conseguem sua realização pessoal. É triste ver tanta gente perseguindo ilusões.

Sucesso virou uma palavra da moda. Todos querem brilhar e receber aplausos. Mas qual será o preço disso? Quando o preço do sucesso é a própria vida, ele certamente não compensa.

A estrada pela qual caminha a maior parte da humanidade decerto não leva à felicidade.

O ser humano tem vocação natural para a felicidade, mas vive correndo atrás de miragens, ilusões, que não preenchem sua existência. As vitórias só têm sentido quando levam à felicidade.

Felicidade é como dieta. Todo mundo sabe o que tem de fazer para conseguir seu objetivo, mas a maioria não põe esse conhecimento em prática.

Portanto, mais que apresentar novas informações sobre a

vida, quero, com este livro, despertar sua motivação para que comece a cuidar um pouco melhor de você mesmo.

Basta! Está na hora de colocarmos um ponto final nessa mentalidade pobre que diz que para alguém ganhar, outro tem de perder. Mentalidade miserável como essa só pode criar um mundo miserável.

O mundo precisa ficar diferente do que está. Mas para isso acontecer, a mudança deve primeiro acontecer dentro de nós.

Decidi escrever este livro ao ver tanta gente desperdiçando a própria vida. Está na hora de fazer acontecer a revolução da felicidade. Viver estressado não é uma maldição que você tem de carregar pela vida afora. Você tem o direito de ser feliz!

A busca da felicidade

Quando eu era criança, sentia-me muito infeliz. Havia tantas coisas que queria fazer e não podia! Quando a frustração batia, pensava no dia em que entraria na escola. Seria, então, muito feliz. Tudo daria certo. Passaria a ser mais respeitado e não teria mais problemas. Quando entrei no primário, hoje Ensino Fundamental I, percebi que ainda faltava muito para chegar lá.

Então achei que, quando passasse para o ginásio (que chamam hoje de Ensino Fundamental II), seria totalmente feliz. Mas também não foi assim. Mais uma vez contive minha expectativa de felicidade. Imaginei que, quando subisse um pouco mais os degraus do conhecimento e fosse para o Ensino Médio, finalmente seria feliz. Mas a insatisfação continuou. "Ah", pensei, "assim que entrar na faculdade de medicina, a felicidade virá inevitavelmente!". Outra frustração. Os problemas continuaram e a angústia só fez aumentar. "Quando me tornar médico", concluí, "alcançarei a felicidade. Terei poder, dinheiro, serei respeitado e tudo dará certo para mim."

Demorou, mas acabei percebendo que não era desse jeito que a vida funcionava. Por um tempo, acreditei no que os mais velhos falavam.

Não existe felicidade definitiva, apenas momentos felizes. E eu tinha de aproveitá-los ao máximo para poder desfrutar a vida da melhor maneira possível.

"É isso mesmo!", pensei. Quando estava apaixonado ou conseguia uma vitória no trabalho, me sentia bem. Felicidade devia ser algo parecido com isso. Essas emoções me davam a sensação de paz, tranquilidade, e isso devia ser a felicidade. Mas logo percebi que essa ideia confundia felicidade com prazer.

Por isso, depois de algum tempo, percebi que faltava algo mais. Não era possível que felicidade fosse somente aquilo. Tanta luta por tão pouca recompensa! Então, concluí que a felicidade não existia.

Em 1986, conquistara tudo o que imaginei ser possível na minha vida. Mas andava frustrado, me perguntando se a vida seria somente uma coletânea de bons momentos. Como sempre fui muito religioso, não acreditava que o Criador fosse capaz de me mandar para essa viagem por tão pouco. Deveria haver algo mais.

Assim, decidi ir para o Oriente conversar com os mestres e saber o que eles pensavam a respeito da felicidade.

Voei para o Nepal, mais exatamente para um mosteiro budista nos arredores de Katmandu. Chegar àquele lugar já foi uma epopeia. Uma viagem de avião até Londres, outra até Nova Délhi e mais uma até Katmandu.

Um amigo indicara um mestre que vivia ali. Instalei-me em um hotel e saí à procura do mosteiro. Na portaria, me disseram que ele me receberia às 9 horas da manhã seguinte.

Praticamente não dormi. Fiquei excitado com a possibilidade de me ser revelado o segredo da felicidade. Saí ainda de madrugada do hotel, na esperança de o mestre estar disponível e poder conversar mais cedo comigo. Esperei, até que, por volta de 9 horas, uma mulher que falava inglês com sotaque francês entrou na sala.

Imaginei que me levaria ao mestre. Ela me acompanhou até uma sala, estendeu uma almofada e pediu que me sentasse à sua frente. Era uma moça morena, jovem, muito bonita, a quem pedi:

— Quero falar com o mestre.

Ela então respondeu:

— Eu sou o mestre.

Não consegui esconder meu desapontamento, "Viajei tanto para chegar até aqui e conversar com um mestre de verdade, e me aparece uma mestra francesa!", pensei. "Todo mundo procura um mestre velhinho, oriental, com longas barbas. Não uma mulher jovem, bonita, que nem nasceu no Oriente!"

Insisti:

— Você não entendeu direito, quero falar com o mestre.

E, novamente, ela respondeu:

— Eu sou o mestre.

Inconformado, decidi fazer uma pergunta bem difícil para que ela se sentisse embaraçada e me levasse ao mestre de verdade.

— O que é budismo? – perguntei.

Tranquilamente, ela me respondeu:

— A base do budismo é o fato de que todo ser humano sofre.

Pensei comigo mesmo: "Não é possível. Saio da cultura ocidental, que prega o sofrimento como base da purificação e da sabedoria, e aqui ouço que a base do budismo é o sofrimento?". Não satisfeito, resolvi fazer uma pergunta ainda mais difícil para que ela não soubesse a resposta e me levasse ao verdadeiro mestre:

— E por que os seres humanos sofrem?

— Porque são ignorantes – ela respondeu.

Pensei: "Bem, se são ignorantes, deve haver alguma coisa

que não saibam e que talvez seja a resposta para o que estou procurando."

— E qual é o conhecimento que nos falta? – arrisquei.

— Precisamos ter a compreensão de que as coisas em nossa vida são dinâmicas e fluidas. Quando o ser humano está feliz, bloqueia a felicidade, pois deseja a eternidade para tal momento. Torna-se rígido, com medo de que o prazer acabe. Quando está infeliz, julga que o sofrimento não terá fim, mergulha na sombra, e assim amplia sua dor.

A mestra continuou:

— Como as ondas do mar, a vida é dinâmica. É tão certa a subida quanto a descida. Cada momento tem sua beleza. No prazer, nós nos expandimos, e na dor, nos contraímos. Um movimento é complementar ao outro. Saber apreciar a alegria e a dor constitui a base da felicidade. Você não pode ser feliz somente quando tem prazer, pois perderá o maior aprendizado da existência. Você deve descobrir um jeito de ser feliz na experiência dolorosa, porque ela carrega a oportunidade de desenvolvimento.

À medida que a mestra falava, meu queixo caía. Como ela atingira tanta sabedoria? Por que eu não chegara antes àquelas conclusões? Será que, finalmente, conheceria o segredo da felicidade?

E ela continuava a me ensinar:

— Viva intensamente! Não desfrute somente o sol, aprecie também a lua. Não desfrute somente a calmaria, aproveite a tempestade. Tudo isso enriquece a existência. A vida não acontece somente dentro de uma casa, de uma cidade, de um país: ela tem de ser experimentada dentro do universo. A felicidade é um modo de viver, é uma conduta, é uma maneira de estar agradecido ao sol, à lua, a quem lhe estende a mão e também a quem o abandona, pois, certamente, nesse abandono está a possibilidade de você descobrir a força que existe em seu interior.

— A felicidade não é o que você tem, mas o que faz com o que tem. Por esse motivo há pessoas que, apesar de ter bens materiais, de ser bem relacionadas, com filhos saudáveis, ainda assim se sentem angustiadas e deprimidas. Mas a felicidade permanente existe. Ela vem quando aprendemos o significado dos acontecimentos em nossa vida.

Encantado com suas palavras, consegui apenas balbuciar antes de sair:

— Obrigado, mestra!

No caminho de volta ao meu hotel, fiquei pensando: "A felicidade não é o que acontece na nossa vida, mas como nós elaboramos esses acontecimentos, como lidamos com eles e como reagimos a eles".

A FELICIDADE É UMA EXPERIÊNCIA LIGADA À SABEDORIA

A diferença entre o sábio e o ignorante é que o primeiro sabe aproveitar suas dificuldades para evoluir, enquanto o segundo se sente vítima de seus problemas. Qualquer estúpido pode ser infeliz. Não é necessário alguém especial para ver problemas em qualquer coisa, a qualquer hora. Aliás, há pessoas que não desperdiçam uma oportunidade de sofrimento. Porém, saber transformar pequenas ocorrências em fonte de alegria é habilidade de poucos.

Analisando as palavras da mestra, concluí que, à medida que as pessoas evoluem e amadurecem, passam por quatro fases no processo de percepção da felicidade:

- PRIMEIRA FASE: Acontece na infância. A criança concebe a felicidade como o "prazer eterno". Como vive sempre no presente, a criança sente que a felicidade estará no presente sempre. Ela acredita que esse estado de graça deve fazer parte de todos os momentos de sua vida. É o princípio da busca pelo prazer. Com o tempo, e com as sucessivas frustrações, por meio das experiências que vai vivenciando, ela se tornará um adulto que depositará sua expectativa de felicidade no futuro. Muita gente não ultrapassa essa fase. Quando se sente afetivamente infeliz, continua imaginando que a qualquer momento aparecerá um príncipe encantado para realizar seu sonho de felicidade. Acha, por exemplo, que encontrará um emprego no qual poderá ser feliz diariamente. Quem pensa dessa maneira acredita que as pessoas se dividem em duas categorias: mocinhos e bandidos. Por isso, vive sempre se frustrando, já que é sempre pego de surpresa, e muito desapontado com tudo e com todos.

- Segunda fase: É quando assimilamos nossas frustrações e passamos a acreditar que a vida é apenas uma coleção de momentos felizes. Alguns desistem até de viver um relacionamento consistente e duradouro para procurar prazer em encontros fortuitos. Nesse caso, a felicidade se esvazia porque se restringe a fragmentos de vida. É o caso das pessoas que se sentem felizes somente quando estão à mesa, durante as refeições, ou das que trabalham o mês inteiro, mas apenas se sentem satisfeitas no dia do pagamento. É uma fase de pobreza existencial, pois quem pensa assim acha que a vida é um sofrimento eterno com pequenos momentos de alegria. Se você pensa desse jeito, quero lhe pedir que levante a cabeça e aprenda com o sol, pois ele sempre aparece durante o dia, embora algumas vezes esteja escondido atrás das nuvens.

- TERCEIRA FASE: É a fase em que aprendemos que a vida é uma série de ciclos entre celebração e aprendizado, entre instantes de dor e de prazer. Aqui começamos a perceber que é preciso aproveitar não somente os momentos agradáveis, mas também os desagradáveis. Desfrutar dos primeiros e aceitar os recados que a vida nos passa por meio dos segundos. E que desperdiçar qualquer experiência é perder a valiosa chance de crescer como pessoa e sentir que estamos vivos.

- QUARTA FASE: É a fase da maturidade, na qual aprendemos que tudo o que acontece em nossa vida tem um sentido de aprimoramento. Nesse estágio de compreensão, paramos de reclamar dos acontecimentos sofridos e simplesmente aprendemos a lição de cada evento doloroso ou prazeroso, evoluindo no que é necessário.

  É como a mulher que teve um pai alcoólatra e não pôde fazer nada para impedir que ele se destruísse até a morte. A experiência de impotência quando criança criou nela uma necessidade patológica de querer salvar alcoólatras. Assim, quando adulta, se envolveu em relacionamentos complicados, com homens que bebiam demais. Tinha compulsão por querer tirar os companheiros do vício. Até que um dia se dá conta de que o pai fez com a própria vida o que quis, e que ela não precisava namorar dependentes do álcool para tentar salvá-los. Quando a consciência chega, a pessoa amadurece e se livra dos padrões destrutivos. É como disse a mestra: a felicidade permanente surge quando entendemos o significado dos acontecimentos em nossa vida e aprendemos tanto com a felicidade quanto com a dor. Se você chegou a esse ponto, que bom! Certamente, já começou a perceber que é o criador dos acontecimentos da sua vida.

Chegando ao hotel, pensei na verdade da frase que diz: *"Quando o discípulo está preparado, o mestre sempre aparece."* Isso é um fato. O mestre sempre vem, seja na forma de uma mulher francesa, seja na forma do pai, de um colega de trabalho, de um animal de estimação ou de uma criança caminhando pela relva.

O importante é perceber os mestres que ganhamos de presente da vida e não desperdiçar nenhuma chance de aprender com eles.

Mas de nada vale ter mestres sábios e brilhantes se não formos bons discípulos para colocar a sabedoria em prática em nossa vida.

A maior prova de que aprendemos a lição é o quanto conseguimos ser felizes.

Agarre a chance de mudar sua vida

Você é o dono da sua vida.

Coloque na sua cabeça que você pode mudar. A infelicidade é um estilo de vida, uma maneira de olhar o mundo pelo lado contrário. Em vez de você tirar proveito do momento atual, lamenta-se do que poderia ter acontecido ou fica ansioso pelo que poderá acontecer.

Mas você pode trocar de estilo de vida e criar um novo jeito de ver o mundo. Agora é hora de viver para valer!

Para que uma mudança ocorra, o primeiro passo é saber onde você está e para onde quer ir, pois enquanto a felicidade é infinita e surpreendente, a infelicidade é óbvia e repetitiva. Para deixar a infelicidade para trás, é preciso reconhecer sua origem e perceber como ela acontece em sua vida, pois ela sempre se reapresenta em padrões definidos.

As fontes da infelicidade

1. Viver condicionado ao passado

Todos nascemos com um potencial infinito de realização. Porém, à medida que somos educados, durante a infância e adolescência, perdemos a rota original da própria existência. Deixamos de fazer aquilo que nos realiza e passamos a agir de acordo com as crenças dos outros: primeiro pais e professores e, depois, toda a sociedade. Nosso objetivo de vida nos é imposto e passamos a condicionar nosso sucesso ao aplauso das pessoas que nos cercam. Para continuar merecendo essa aprovação, progressivamente abandonamos nossas vocações e passamos a realizar os desejos alheios.

Sua infelicidade nasce e cresce conforme você vai seguindo o que escutava de negativo na infância: seu pai vivia lembrando que a vida era difícil, e fez você acreditar que nunca conseguiria ganhar dinheiro; sua mãe dizia que a vida era carregar pedras, e levou você a não ser capaz de desfrutar suas conquistas; sua tia não cansava de repetir que ninguém valoriza ninguém nessa vida, e fez você viver à caça de aplausos.

Deixe as pessoas do passado no passado! Perdoe-as!

Muitos não avançam na vida por passar o tempo todo culpando as pessoas do passado. Elas fizeram o melhor que podiam. Está na hora de você decidir o que é melhor para sua vida agora e colocá-la no rumo que deseja.

2. Querer agradar e impressionar os outros

A maioria das pessoas vive para ser admirada por uma multidão de olhos vorazes que, muito provavelmente, não irão se cruzar nunca mais. Quando elas param para perceber o rumo que deram à própria vida, verificam que apenas juntaram coisas que não servem para nada.

No propósito de querer agradar aos pais, muita gente abre mão do que realmente importa para si. São as pessoas que desistem de realizar a própria vocação e começam a obter conquistas não para si, mas para os pais. É o caso da criança que não quer estudar balé, mas se rende ao fato de a mãe ter desejado, na juventude, ser bailarina. Para agradar a mãe, começa a colecionar troféus até que um dia conclui que nada daquilo contribuiu para sua felicidade.

Quem consegue realizar as metas de sua alma é feliz e desperta admiração por causa de sua integridade como pessoa. Porém, quem vive dependendo da admiração alheia sempre será infeliz, porque deixa de lado o compromisso consigo mesmo. Você não vai conseguir ser feliz se valorizar mais a opinião dos outros do que seus próprios sentimentos. Alguns, mesmo se sentindo infelizes, caem na cilada de raciocinar assim: "Se os outros estão aplaudindo é porque estou no caminho certo." Com isso, só avançam em frustrações.

Você é mais importante que qualquer julgamento alheio. Viva para surpreender a si próprio, e não aos outros. Viva para realizar as metas da sua alma e será feliz. Como bônus, despertará a admiração por causa de sua integridade.

3. Desperdiçar oportunidades

A maioria das pessoas não valoriza as próprias vitórias e costuma jogar fora suas conquistas, desperdiçando oportunidades. Essas pessoas não conseguem aproveitar o tempo, não valorizam o amor, não desenvolvem a capacidade criativa.

Fala-se muito em desperdício material, como o da energia elétrica, da água, do dinheiro. Mas o pior de todos é o desperdício da vida. É triste ver gente que não sabe utilizar os próprios talentos e não os desenvolve. Qualquer tipo de aptidão exige dedicação para desabrochar.

A maioria das pessoas, no entanto, passa pelas oportunidades sem lhes dar atenção. Muitas se arrependem por não ter se dedicado ao grande amor de sua vida; outras, por ter jogado fora preciosas chances profissionais. Só olham para o que não têm e não conseguem aproveitar o que têm.

Há quem sacrifique a vida para conseguir *status* e poder. E acaba vivendo numa grande ilusão. No desejo de conquistar títulos e riqueza, sufoca os sonhos do coração. Acha que vai impressionar os outros desfilando com um carro sofisticado, e não se dá conta de que o que causa a admiração é tão somente o objeto, o carro, e não a pessoa que está ao volante.

Quando alguém se dedica a alimentar ilusões, perde oportunidades. No desejo de conquistar títulos e riqueza, sufoca seus sonhos.

Quem se propõe a apenas acumular dinheiro deixa escapar a chance de conviver com o filho, com a pessoa amada e consigo mesmo. Quem se preocupa muito com segurança, com medo de assalto e de sair de casa ignora as oportunidades profissionais e amorosas que estão fora dos muros da sua segurança.

É comum ouvir: "Ah, se eu soubesse... se eu tivesse... se eu pudesse...". Precisamos entender que as chances são poucas e, por isso, não podemos perder muito tempo com nossas escolhas. Muitas vezes, a questão resume-se a pegar ou largar, e para isso devemos estar preparados.

Quanto mais rápida for nossa capacidade de analisar e decidir, mais plenamente viveremos. Nossa vida depende muito de nossas decisões, de nossa capacidade de avaliar o que realmente é importante. Por isso, a velocidade para descobrir a importância das coisas pelas quais devemos lutar é fundamental.

4. Colecionar bobagens

Muitos gastam sua vida colecionando bobagens. Grandes coleções de cursos inacabados, de amores frustrados, de projetos engavetados, de centenas de livros não lidos, de relações sem afeto, de sapatos comprados e não usados, de casas de praia abandonadas. Há até quem sinta mais orgulho em mostrar sua coleção de vinhos do que em saboreá-la...

Algumas pessoas se habituaram a colecionar virtudes para conquistar a simpatia alheia, querendo agradar os outros e esquecendo-se de ser elas mesmas.

Essas pessoas não questionam por que fazem essas coleções, nem se elas contribuem para sua felicidade. Então, mantêm guardado esse lixo, e justificam: "Bem, quem sabe um dia eu possa usá-lo."

É igualmente o caso dos que fazem regime e emagrecem, mas mesmo assim guardam as roupas do tempo em que eram gordos. "Se eu voltar a engordar...", pensam. Não percebem que aquelas roupas são um incentivo para que voltem a ganhar peso.

É muito importante desfazer-se do desnecessário.

As quinquilharias inúteis ocupam o espaço reservado a novas criações. Por exemplo, quando sofremos uma desilusão amorosa, a frustração ocupa o espaço de um novo amor. Por isso, os japoneses dizem: "Para você beber vinho em uma taça, precisa antes jogar fora o chá". Limpe sua taça!

Além disso, as quinquilharias consomem a energia necessária para construir coisas novas. Ficar remoendo o passado, lamentando o que poderia ter sido feito e não foi, apenas desvia a atenção do presente, onde realmente as coisas acontecem.

As quinquilharias também criam ilusões. Levam a pensar: "Se eu tivesse me dedicado mais, tido mais suporte, o resultado seria diferente." Pura ilusão. O que já foi, já foi. O importante é fazer a limpeza. Em casa, no escritório e, principalmente, no coração.

Mas não confunda: colecionar quinquilharias que não levam a nada é completamente diferente de colecionar boas recordações, momentos de intimidade, superações de desafios e aproximação de amigos; coisas que, de fato, ajudam-nos a encontrar a felicidade.

Os três mitos da infelicidade

Todo indivíduo necessita de três alimentos vitais para a alma. Esses alimentos são:

1. CONFIANÇA – o alimento para fortalecer a fé.
2. REALIZAÇÃO – o alimento para aumentar o poder de alcançar resultados.
3. ALEGRIA DE VIVER – o alimento para cultivar o amor por si mesmo e pelos outros.

Na falta ou escassez deles, as pessoas estruturam alguns modelos para serem infelizes.

A falta de fé leva ao medo. Isso acontece a quem, independentemente de qualquer coisa que lhe aconteça de bom ou ruim, está sempre assustado. Por melhor que a vida dele esteja, tem a sensação de que está prestes a sofrer uma desgraça.

Pessoas assim precisam de confiança para vencer sua infelicidade.

A falta de poder para alcançar resultados leva à perda de oportunidades e à coleção de fracassos. A pessoa passa o tempo todo se sentindo vítima do destino.

Ela sofre em um mundo que oferece excesso de informação, de estímulos e atrações, pois não sabe para onde ir, e vive mudando o rumo de seu caminho. Pessoas assim precisam aprender a realizar metas, atingir resultados, concretizar objetivos para sair da rotina infeliz em que vivem.

A falta de amor por si mesmo e pelos outros costuma gerar adultos hiper-responsáveis, profissionalmente competentes, mas solitários, que levam a vida sem amor. Pessoas assim precisam de alegria de viver, um verdadeiro bálsamo para a alma dos infelizes afetivos.

Muitos pensam que apenas os pobres, ou apenas os ricos, podem ser infelizes. Na verdade, a infelicidade é uma doença que não escolhe classe social.

Esses três alimentos vitais para a alma – confiança, realização e alegria de viver – estão intimamente ligados aos três mitos da infelicidade.

Na mitologia grega, três personagens exemplificam muito bem a maneira como desperdiçamos nossa vida: Dâmocles, Sísifo e Midas. Mitos explicam a condição humana, e são um conhecimento ancestral. Por isso, conhecê-los é um caminho para virar o jogo, para transformar sua existência e direcioná-la rumo à felicidade.

- DÂMOCLES – É um modo de infelicidade que se refere àqueles que passam a vida inteira com medo de que alguma desgraça aconteça como castigo por suas conquistas. Lutam pelo sucesso, conseguem alcançá-lo, mas estão sempre na expectativa de que surja um problema. O medo de perder o marido ou a esposa impede-os de desfrutar o casamento que construíram. Imaginam desgraças com os filhos e enchem a cabeça com preocupações. Têm medo de perder o emprego ou que sua empresa vá à falência. O alimento que falta à sua alma é a confiança.

- SÍSIFO – É um tipo de infelicidade que caracteriza aqueles que passam a vida se sacrificando, tentando fazer as coisas funcionarem, mas nunca completam seus projetos. Lutam muito, mas vivem sempre dependentes porque não conseguem ter sucesso. Estão sempre descobrindo algo novo para fazer, perdendo o foco e não conseguindo terminar o que começam (à espera de um milagre que lhes dê autonomia). Vivem desculpando-se, dando explicações ou acusando alguém por seus fracassos. Esforçam-se muito, mas conseguem poucos resultados positivos. O alimento que falta à sua alma é a realização. Todas as semanas começam a perfurar um novo poço, por isso nunca conseguem chegar ao veio de água.

- MIDAS — É o tipo de infelicidade das pessoas que acumulam conquistas, mas nunca estão satisfeitas. É o mito do rei que transforma em ouro tudo aquilo que toca, mas não consegue se sentir amado. São pessoas que têm sucesso financeiro, mas são um fracasso na vida afetiva. São profissionais bem-sucedidos, mas têm péssima qualidade de vida. Muitas vezes têm currículos brilhantes, mas não conseguem fazer amigos. O alimento que falta à sua alma é a alegria de viver.

Conhecer esses três tipos psicológicos é uma porta de entrada para compreender, analisar e transformar os seus comportamentos e sentimentos adquiridos durante a infância, quando suas necessidades não foram devidamente satisfeitas, e, por isso, continuam a influenciar sua vida. Será que você identifica seu estilo de vida com algum deles?

Carregar carências é viver como um ioiô, sempre voltando ao passado. Libertar-se é cortar o fio, soltar-se; deixar o ioiô se desprender e arriscar a possibilidade de que ele se transforme num pássaro que voa plenamente.

Vamos analisar com mais profundidade cada um desses personagens. Procure reconhecer-se neles. Verifique com qual você – e as pessoas próximas – mais se identifica. Conhecer melhor a si mesmo e aqueles que você ama é um grande passo para transformar sua vida.

Aprender a identificar seus padrões de desperdício de vida é um passo importante na construção de sua felicidade.

Dâmocles

O mito

Dâmocles era um súdito da corte do rei Dionísio, que administrava o reino sem contestações. O poder de Dionísio era absoluto, e sua palavra, a lei. Vangloriava-se de ser todo-poderoso e vivia submerso nas delícias e vantagens do poder. Sempre que podia, Dâmocles expressava ao rei seu sonho de um dia poder ter à mão tudo o que desejasse.

Dâmocles insistiu tanto nesse desejo que Dionísio resolveu revelar-lhe as angústias do poder. Convidou-o para ser rei por um dia, com direito a coroa, cetro, banquete e tudo o mais. Mandou, porém, que colocassem uma espada pendendo sobre o trono, presa por um fio de crina de cavalo.

Dâmocles exultou. Finalmente seu sonho seria realizado. Vestiu-se com pompa, assumiu a condição de rei e mergulhou no banquete em sua homenagem. Porém, no meio da festa, levantou os olhos e viu, sobre sua cabeça, a espada ameaçadora, que poderia a qualquer momento decepá-lo. Engoliu em seco, ficou morrendo de medo, mas entendeu nessa hora o que são as angústias do poder.

Os Dâmocles modernos: a infelicidade por falta de fé

Os Dâmocles modernos estão sempre preocupados.
Sentem-se ameaçados, tendo ou não estabilidade econômica.
No trabalho, têm medo de ser demitidos.
No casamento, têm medo de ser traídos ou abandonados.
Se são empresários, têm medo de que sua empresa vá à falência e que sejam abandonados pelos clientes.
Têm medo de que uma simples gripe se transforme em meningite ou outra doença séria qualquer.
Vivem apavorados. Têm medo de que os filhos adolescentes se tornem viciados em drogas. Vivem sobressaltados pela possibilidade de acidentes ou ataques cardíacos. São capazes de se assustar com o simples soar de uma campainha ou telefone.
Uma das piores coisas que podem acontecer a um Dâmocles é ser convocado para uma reunião sem saber antecipadamente qual assunto será tratado. Sua mente começa a trabalhar em um milhão de hipóteses, imaginando alguma catástrofe. No fundo, os Dâmocles não acreditam neles próprios e estão sempre desconfiados.
Muitas vezes, essas pessoas não demonstram estar assustadas, mas se irritam com tudo e com todos.
Perfeccionistas, querem controlar tudo. Preocupam-se em dar instruções com o objetivo de melhorar o andamento das coisas, mas, quando algo sai errado, logo pensam: "Ah, eu já sabia!" No fundo, acreditam que as falhas fazem parte de tudo.
Tendem a viver exaustas, pois, além do esforço consumido para realizar seus projetos, gastam uma enorme energia para aplacar os diálogos dentro da própria cabeça.
O que mais as desgasta são as preocupações.
Como o Dâmocles original, são pessoas que têm sobre a cabeça uma espada presa por um fio. Lutam para chegar ao sucesso e,

quando o atingem, enxergam a espada imaginária que cria nelas a dúvida que enfraquece seu poder.

Sabe o que é esse medo? É a ausência da fé, da confiança. Mais cedo ou mais tarde, o medo acaba destruindo as pessoas, pois, enquanto o amor é o coração, a fé é a coluna vertebral. A fé é o que nos mantém em pé, mesmo quando estamos doentes, em um leito, ou perdidos numa tempestade de problemas. Dâmocles permitiu, contudo, que a espada quebrasse sua fé, pois ninguém o proibiu de retirá-la de cima de sua cabeça.

Lembro de uma frase que um amigo costumava dizer e que servia para mim: "Meu pai nunca me bateu, mas eu apanhei muitas vezes dele."

Será que isso acontece com você?

Cuidado para não sofrer por antecipação. O medo de que as coisas deem errado nos faz perder a energia para saborear as nossas vitórias.

Se você tiver fé, o medo não vai se instalar.

"Mas ter fé em quê? Confiar em quê?", você pode estar perguntando. E a resposta é: em tudo. Na vida, em Deus, no amor, nas pessoas e, principalmente, em si mesmo. A confiança nos outros depende da confiança primordial que temos em nós mesmos, ou seja, depende do olhar que temos sobre nós.

Quando as pessoas não têm confiança, o medo se instala em sua vida e a sombra passa a ser sua companheira mais constante. A vida começa, então, a empobrecer, pois a cada esquina, a cada encontro, paira uma ameaça.

O que você já conquistou na vida não foi fruto do acaso. Para isso você se preparou e lutou.

Se, por um golpe do destino, você perdeu tudo, lembre-se: o mais importante, que é sua capacidade de realização, ficou.

A solidão é triste, mas segura. Quando se tem fé, a morte não é tão assustadora. Quando, ao contrário, a vida é um mar de dúvidas, o que mais procuramos é nos cercar de segurança. Colocamos trancas nas portas, construímos muros altos, proibimos nossos filhos de viajar sozinhos, fazemos poupança, contratamos seguranças, evitamos viajar de avião. E, ainda assim, a angústia continua presente.

A maior consequência disso é que, quanto mais procuramos segurança, mais nos afastamos da vida. De fato, viver oferece riscos. Viver é correr riscos!

De uma hora para outra podemos nos apaixonar e a pessoa amada ir embora; criar os filhos e eles partirem; construir uma empresa e ela falir.

Para viver intensamente é necessário conviver com os riscos.

Quando uma pessoa congela no tempo, a vida começa a desaparecer. Por esse motivo, a maioria dos casamentos acaba perdendo a beleza que um dia teve. Marido e mulher deixam de ousar e passam a garantir resultados. Quando o mais importante passa a ser a segurança, os objetivos desaparecem e a vida empobrece.

Do mesmo modo, quanto mais sucesso, mais insegurança, pois existe sempre a ameaça de perder o que foi conquistado. Afinal, não há seguro de vida que elimine o medo da morte.

Perguntaram a um mestre quem fora a pessoa que mais o ajudara a alcançar a sabedoria, e ele simplesmente respondeu:
— Um ladrão.

Notando que sua resposta havia chocado, ele explicou:
— Certa vez, cheguei de madrugada a um vilarejo e procurei um lugar para dormir. Tudo estava fechado. Encontrei apenas um ladrão. Ele me disse que não havia nenhuma hospedagem

aberta e que, se eu quisesse, poderia dividir sua cabana comigo. No início, pensei em recusar o convite, mas logo refleti: "Se um ladrão aceita a companhia de um monge, por que um monge não pode aceitar o convite para estar com um ladrão?"

E o mestre continuou:

— Enquanto ía com o ladrão até sua cabana, perguntei-lhe se, naquele dia, conseguira roubar alguma coisa; ele me respondeu que não, mas que iria rezar bastante para Deus ajudá-lo a roubar algo no dia seguinte. Ele parecia ser uma pessoa muito especial, e eu aceitei seu convite para permanecer mais alguns dias com ele. À noite, quando saía, eu lhe perguntava se precisava de algo, e ele sempre me pedia para rezar para que Deus o ajudasse a roubar alguma coisa.

O mestre, então, completou a história:

— A fé do ladrão me comoveu. Muitas vezes, ao fazer coisas tão puras, como orar e meditar, e depois quase desistir por não alcançar os resultados desejados, lembrava-me da fé do ladrão e isso me dava forças para prosseguir. Ele nunca deixava de acreditar.

Por isso, acredite sempre. Por pior que seja a situação, não deixe a dúvida tomar conta de você.

O medo será seu companheiro até que você aprenda a olhar para ele com objetividade e descubra que ele não passa de uma fantasia. Assim como a espada de Dâmocles existe apenas na imaginação dele — e é também o que os orientais chamam de tigre de papel: quando se olha na escuridão parece um monstro, mas, à luz do dia, percebe-se que é feito de papel, sem nenhum poder de destruição.

A história de um Dâmocles

João é um empresário que veio de uma família abastada. Seu pai era fazendeiro, proprietário de terras e muitos bens, mas, infelizmente, acabou perdendo tudo com bebida, mulheres e jogo. Ainda muito jovem, João teve de deixar sua residência luxuosa, com muitos empregados, para viver numa casa humilde. A mesa farta foi substituída por arroz e feijão. Seus irmãos tiveram de arranjar subempregos, a mãe – antes cheia de regalias – foi trabalhar como empregada doméstica. O pai nunca mais se recuperou do desastre financeiro.

Todos os dias, João percebia o medo nos olhos dos pais. Para piorar ainda mais a situação, a bebida foi tornando o pai violento, e ele o espancava por qualquer coisa.

João atravessou inúmeras dificuldades, mas conseguiu um casamento sólido, uma empresa bem posicionada no mercado e uma boa situação financeira. No entanto, ele vivia o tempo todo assustado, como se um desastre pudesse abalar tudo isso.

Sempre preocupado – e talvez por isso mesmo –, João não pôde evitar que pouco a pouco os negócios começassem a afundar. Tinha tanto medo de que sua vida não desse certo, que a desgraça da infância se repetisse, que ele próprio se encarregou de acabar com tudo. Dessa forma, não precisaria mais se preocupar com a perda, pois já não teria mais o que perder.

Assim são os Dâmocles modernos: vivem tão ansiosos, com medo de perder o que conquistaram, que acabam chegando a um resultado inverso do que desejam.

Arranjam um jeito de se desfazer de suas conquistas para se livrar do medo de perdê-las.

Sentem-se aliviados quando o casamento termina, pois assim se libertam do medo de que um dia ele acabe.

Nunca estão em paz, independentemente de sua situação pessoal ou profissional.

O medo leva os Dâmocles a procurar incessantemente a estabilidade. Tudo em volta deles tem de estar certinho – o casamento, a família, o trabalho. Somente assim se sentem seguros. Por isso, vivem sempre tensos, bloqueados. Sofrem com as mudanças, sejam quais forem.

Muitas vezes, constroem uma camada de rigidez para esconder a insegurança. Na superfície, parece que tudo está funcionando bem, mas por dentro as sombras provocam tremores.

As pessoas próximas dos Dâmocles – esposa, marido, filhos, chefes, colegas – não entendem por que, mesmo quando as coisas vão bem ou quando o momento é de relaxamento, durante as férias, por exemplo, eles permanecem preocupados, receando fatalidades e destruições.

Procuram a estabilidade para se sentir seguros, e tudo em volta deles tem de estar certinho – o casamento, a família, o trabalho. Não entendem que as mudanças fazem parte da vida, e por isso deixam de experimentar suas riquezas.

A infância

A infância dos Dâmocles em geral é marcada por crises, como a morte de uma pessoa querida, algum acidente grave, ameaças dos pais, relacionamento agressivo em casa e, muito comumente, pouco ou nenhum diálogo.

Por se sentir sempre ameaçados, desenvolvem uma forte intuição para se proteger. Descobrem, desde cedo, quando é o momento de ficar calados para não criar contratempos ou de interromper brincadeiras para não incomodar. Essa intuição, infelizmente, é usada para evitar problemas, e não para criar soluções. À medida que crescem, desenvolvem o mecanismo de enxergar ameaças em tudo e passam a evitar qualquer situação que possa criar embaraços.

Foram crianças castigadas sem explicações, o que as tornou extremamente confusas. Certo dia, por exemplo, brincando com uma bola, provocaram risos e foram elogiadas. No dia seguinte, ao repetir a brincadeira, apanharam. Ninguém explicou a elas a diferença entre, na primeira vez, brincar com a bola no quintal e, na segunda, na sala de estar, entre os vasos chineses da mãe.

Quando a criança não compreende a lógica dos castigos, passa a sentir medo de ser punida e começa a ficar confusa e insegura.

Já adultos, diante de qualquer incidente no trabalho, reagem concluindo que serão demitidos. Da mesma maneira, qualquer desentendimento do casal torna-se ameaça de separação.

Pessoas assim não percebem que existe uma lógica para as coisas acontecerem. Por ter sempre vivido sob tensão, até a visão do divino se torna prejudicada, e elas começam a enxergar Deus como um ser punitivo, que castiga tanto quanto a mãe ou o pai faziam.

Em geral, sua mãe ou seu pai era também do tipo Dâmocles: vivia assustado e transmitia essas preocupações aos filhos. O tempo todo diziam frases como estas: "Cuidado, seus colegas podem pegar sua borracha", "Se não for o primeiro da classe, não conseguirá arrumar um bom emprego", "Não brinque na chuva para não se resfriar", e assim por diante.

Esse pai ou mãe sossega somente no dia em que percebe que o filho também está preocupado com o futuro. Porém, à medida que a ansiedade do filho se torna o calmante do pai, o prazer de viver se transforma em sombras.

Sofrimento básico: preocupação

O sofrimento básico dos Dâmocles é a preocupação; eles vivem tensos. Qualquer incidente, positivo ou negativo, causa ansiedade. Se não são promovidos na empresa, pensam logo em demissão. Quando são promovidos, preocupam-se do mesmo modo, por achar que não darão conta da nova função.

A tendência dos Dâmocles é fazer tudo na vida cercados por grandes margens de segurança. São, em geral, ciumentos, e não permitem que os filhos viajem sozinhos. Quando aparece uma boa oferta para mudar de emprego, rejeitam-na por preferir ficar onde estão, sem correr riscos.

O medo reside no sofrimento do passado e cria a dor do futuro.

Os Dâmocles sentem a dor do passado como se a cena estivesse acontecendo de novo. Esse desespero alimenta o receio de que outra desgraça possa acontecer no futuro, e eles voltem a sofrer como daquela vez.

Quando não há confiança em si mesmo, nos amigos, em Deus, as ações brotam das preocupações. Nesse caso, pode-se até pensar, por exemplo, que se está cuidando bem dos próprios filhos. Na prática, porém, estão sendo criadas proteções para evitar que no futuro sobrevenham desassossegos. Em vez de extirpar esse medo de dentro da alma, prefere-se aplacá-lo com preocupações. Nossos problemas têm de ser trabalhados dentro de nós para evitar um colapso familiar.

Os Dâmocles são os maiores especialistas em soluções paliativas. Em vez de procurar a fonte de seus medos, buscam sempre uma maneira de aliviar suas tensões. Como estão sempre tensos, ao final de cada dia procuram uma técnica de relaxamento. Ou, então, trabalham como loucos o ano inteiro, esperando descansar nos trinta dias de férias.

Mas raramente conseguem relaxar com essas técnicas especiais nem descansar como se deve durante as férias. Não percebem que o relaxamento não é uma técnica, mas um estilo de vida em que o fundamental é a observação do que acontece dentro de si mesmo. Daí a dificuldade que os orientais têm para entender por que os ocidentais procuram métodos de meditação e relaxamento. Para eles, meditar é observar-se o tempo todo. Na verdade, meditação não é uma técnica para aliviar as tensões do dia a dia, mas uma maneira consciente de viver.

No fundo, os Dâmocles acreditam que a preocupação os protege. Seu raciocínio funciona assim: "Se eu tiver medo de que o avião caia, o avião não cairá. Se eu tiver medo de que meu filho se vicie em drogas, ele não se viciará. Se eu tiver medo de que meu casamento acabe, ele não acabará", e assim por diante.

Portanto, quando você for viajar e sua mãe Dâmocles manifestar preocupação, pergunte a ela se você pode fazer algo para proteger-se. A preocupação dela não evitará coisa alguma durante a viagem.

Em geral, o medo de apanhar do pai causa mais sofrimento do que a própria dor da pancada. Viver preocupado é como tornar real a ansiedade provocada por um filme de terror, sem perceber que a realidade do lado de fora do cinema é outra.

Estive com meus filhos e sobrinhos, há muito tempo, nos estúdios da Universal, em Orlando, nos Estados Unidos, onde havia um brinquedo muito interessante chamado *Back to the future* [De volta para o futuro]. As pessoas entravam em um carro e viajavam através do tempo, por situações extremamente excitantes. Quando estávamos no brinquedo, as crianças menores começaram a ficar assustadas. Então, um dos mais velhos da turma, Ricardo, disse: "Se vocês ficarem com medo, olhem para o lado e verão vários carrinhos com gente dentro, aí vão perceber que nada do que se passa à nossa frente está acontecendo de verdade."

Quando os Dâmocles olham para o lado e se libertam de sua imaginação, percebem que estão apavorados com tigres de papel.

Relacionamentos afetivos

O amor é uma energia dirigida à vida. Quando alguém está apaixonado, sua aura se ilumina, sua criatividade atinge o auge e, principalmente, a sensação de estar vivo toma conta de seu coração.

Os Dâmocles confundem medo de perder a pessoa amada com amor propriamente dito. O medo nasce da insegurança, da pobreza de espírito, enquanto o amor nasce da generosidade da alma, da nobreza de caráter. Uma declaração de amor pode ser considerada expressão de afeto, mas, muitas vezes, esconde uma hábil manipulação para manter o controle. É uma atitude egoísta que pode resultar em dependência e, nos casos mais graves, anulação da personalidade do outro – filho, pai, mãe ou companheiro.

O medo de ser abandonado, de ser traído e da solidão cria um indivíduo possessivo, cujo desejo é moldar os outros à sua semelhança.

Os relacionamentos afetivos saudáveis, diferentemente, despertam o desejo de crescer juntos, fornecem coragem para superar os bloqueios internos e, principalmente, para mergulhar na vida.

A necessidade de segurança é a bíblia dos devotos de Dâmocles. Eles precisam saber que a pessoa amada está sempre perto, feliz ou não. Nas relações sexuais usam, ao mesmo tempo, diversos tipos de contraceptivos – pílula, preservativo, tabelinha – e, ainda assim, se preocupam com uma possível gravidez.

Como vivem sempre assustados, tendem a unir-se a alguém que lhes dê segurança. Mas nem isso elimina sua desconfiança e seu ciúme. No entanto, são capazes de grandes gestos românticos, mais por medo de perder a pessoa amada do que pela vontade de seduzir.

Somente quando os Dâmocles olham para a espada em cima de sua cabeça e entendem que ela significa uma miragem é que se dão conta do quanto são capazes de amar. A partir daí, passam a se orientar pelo amor, e não mais pela segurança. É quando acontece em sua vida o maior de todos os milagres: descobrem que a verdadeira segurança está baseada em sua capacidade de amar, e não de se proteger.

Trabalho

O trabalho é uma maneira sublime de realização, mas, infelizmente, muitas pessoas vivem sempre preocupadas pensando que tudo vai dar errado. O médico fica apavorado com medo de o paciente morrer. O advogado não dorme pensando que vai perder a causa. O atleta fica tenso, preocupado que pode perder o jogo.

Muita gente considera o trabalho um martírio, uma atividade desgastante que deve ser encarada com resignação. Mas, em contrapartida, felizmente muitas pessoas encontram verdadeira satisfação no ato de trabalhar, enxergando nele uma oportunidade gratificante de aplicar seus conhecimentos e habilidades, e poder, assim, tornar sua vida mais útil e produtiva.

O trabalho é o caminho para a concretização dos sonhos de qualquer pessoa. Quando se coloca fé no próprio trabalho, é possível revolucionar o planeta. Porém, quando o trabalho é dominado pelo medo, os resultados tornam-se medíocres.

Quando isso acontece, o objetivo das pessoas passa a ser apenas a manutenção de seu cargo, e elas até tomam providências para proteger sua posição, deixando de lado os desafios, que ficam reduzidos a sombras.

Os Dâmocles modernos trabalham com medo de ousar. Vivem evitando riscos. Por isso, tendem a ficar "em cima do muro". Diante da menor ameaça, correm para se esconder com medo de fracassar. Tornam-se muito inseguros, mostrando-se extremamente cuidadosos nos negócios, porém, tão cuidadosos que acabam paralisados. Evitam tomar decisões importantes, não arriscam, não apostam no futuro. Chegam a falir por não se modernizar, por não acompanhar a evolução do mercado.

Os Dâmocles são campeões de análise de contextos, de avaliação de negócios. Rapidamente percebem o que não funciona, o que tem de ser mudado. Mas falta a eles coragem para agir e fazer as transformações necessárias. São pessoas que se anulam porque vivem amedrontadas pela possibilidade de empobrecer.

Em seu inconsciente, escutam uma voz que diz: "Não vai dar certo." São resquícios de seu passado, da época em que foram educados por pessoas inseguras que os protegiam de sonhos para evitar possíveis frustrações. Essas vozes permanecem tão vivas em sua mente que dividem sua atenção e minam sua energia criadora.

Nosso maior adversário está dentro de nós.

Por isso, é importante olhar para a espada e constatar que ela existe somente em nossa imaginação.

Filhos

Com os filhos, os Dâmocles confundem preocupação com amor. Eles vivem preocupados, com medo de que algum mal aconteça, e por isso não estruturam a educação de suas crianças para que tenham autonomia, mas tentam protegê-las por temer que algo de ruim ocorra.

Assim, educam seus filhos para si e não para o mundo; para que eles, como pais, possam sentir que os estão protegendo, e porque têm medo (sempre o medo) de ficar sozinhos, incapazes e desamparados no futuro, criando os filhos para que cuidem deles na velhice. A insegurança do Dâmocles começa, então, a destruir a relação paternal.

Amor não é posse, ao contrário, é libertação. Quando alguém ama permite com seu amor que a outra pessoa adquira mais autonomia.

Quando se cria um filho para ser autônomo, a felicidade dele é facilitada. Mas, quando se cria um filho para mantê-lo sempre ao lado, o trabalho se torna imenso, e o resultado, repleto de conflitos. Esse filho vai relutar, resistir e, se chegar a trabalhar para realizar os sonhos dos pais terá sido por sentir muita culpa.

Pior ainda são os Dâmocles que desejam que os filhos sejam eternamente seus dependentes. Procuram se sentir importantes por meio dos filhos. Não percebem que, para provocar essa dependência, precisarão, como pais, destruir a força da pessoa que dizem mais amar na vida. E a culpa que irão sentir em relação a isso será imensa.

O universo funciona no sentido da evolução. As aves, os mamíferos, os peixes, todos os animais criam seus filhotes para a vida. Quando criamos algo para a evolução, contamos com as bênçãos do universo. Quando agimos em sentido contrário, desperdiçamos uma energia imensa e contribuímos somente para a criação de conflitos.

A segurança de se criar bem os filhos é complementada pela proteção divina. Faça pensando no bem deles e confie! Pode demorar algum tempo para os resultados aparecerem, mas eles serão compensadores.

Contar com a ajuda divina é como uma aula de pintura: o mestre chega perto, dá uma olhada rápida na tela que acabamos de pintar e tira o pincel de nossas mãos. Em poucos segundos, com algumas pinceladas, ele dá o toque que faltava para a tela parecer obra de profissional. O mesmo acontece quando criamos nossos filhos: fazemos o melhor que podemos, e Deus dá as pinceladas finais. Só Ele faz a obra transformar-se em uma realização maravilhosa.

Amigos

Amizade é uma relação com uma característica especial: reconhecer a humanidade da outra pessoa e continuar admirando-a, apesar dos defeitos que possa ter. Na maioria dos relacionamentos amorosos, exige-se do companheiro a perfeição. Na amizade, conhecemos as falhas do outro, mas julgamos suas virtudes mais que suficientes para prosseguir com o afeto.

Por isso os amigos comemoram as conquistas um do outro: é o êxito da generosidade sobre a imperfeição.

Quando os Dâmocles procuram amigos, na verdade estão interessados em segurança. Por isso, dão preferência a pessoas que não os ameacem. Buscam aproximar-se daqueles que os considerem perfeitos, o que impede a essência da verdadeira amizade.

Os amigos dos Dâmocles são súditos, pessoas que apenas mostram o lado bom de tudo, que os seguem como discípulos, mas são incapazes de abrir os olhos deles ou apontar novos caminhos. Os Dâmocles tendem, portanto, a ter amigos iguais a eles, preocupados, amedrontados. É comum, aliás, a amizade entre hipocondríacos, com intermináveis conversas sobre doenças e remédios.

Quando, ao contrário, descobrimos a beleza de nossas imperfeições, podemos parar de nos esconder e encontrar verdadeiros amigos, cúmplices de nosso caminho rumo a vitórias e conquistas.

A transformação do Dâmocles

Se você se identificou com o Dâmocles, é importante perceber que a insegurança se tornou sua maneira de viver. Mas sua vida pode mudar! A transformação do Dâmocles ocorre quando a insegurança é substituída pela confiança.

Se você passou a vida fugindo do perigo, comece a perceber que a maioria das ameaças é fruto de sua imaginação. Pare de fugir e comece a agir.

Você deve estar querendo me perguntar: "Roberto, qual o caminho para me libertar do medo?". Para que você se livre da espada que paira sobre sua cabeça e viva de maneira mais leve e criativa, Você, Dâmocles, precisa atravessar quatro pontes, que compõem um método prático para sua mudança.

Vamos juntos nessa viagem!

Primeira ponte: observação

Antes de reagir ao medo que está sentindo, você deve observar: o que está acontecendo? Existe mesmo ameaça?

Tome suas decisões com consciência e não aja precipitadamente. Pessoas com medo fogem ou atacam, e os surtos de irritação quase sempre são decorrentes da insegurança. Pessoas com medo costumam machucar quem está por perto. A consciência é a melhor forma de sair do círculo vicioso medo-ataque-medo.

Para começar, observe sua respiração. Verifique se ela está presa. A palavra "angústia" vem do termo "contração". Portanto, não procure relaxar a respiração, pois isso aumentará a tensão. E nem se critique por estar assim. Simplesmente observe-a. Fique em contato consigo mesmo por alguns minutos.

A seguir, comece a observar seus pensamentos: o que está acontecendo em sua mente? Nossas ações nascem de nossos pensamentos; se eles forem negativos, produzirão ações que, depois, provocarão arrependimento.

Geralmente, captamos as emoções dos outros. Se você assistir a uma briga de casal, depois de algum tempo também ficará irritado. Por isso, é importante saber que muitas vezes assumimos pensamentos que não têm nada a ver conosco.

Seus negócios vão bem, mas, de repente, você começa a se assustar com a crise. Seu casamento está ótimo, mas de tanto ouvir falar em separação você começa a se preocupar com seu cônjuge. Fique atento, portanto, a seus pensamentos, pois eles determinarão seus resultados.

Às vezes, perde-se o jogo da vida por medo da derrota. A insegurança é tanta que a pessoa já se entrega antes da partida. Mas se for para morrer, pelo menos dê trabalho para a morte.

Uma peste incontrolável estava se espalhando pela Europa, matando milhares de pessoas em vários países. Até que chegou a um reino muito especial. O soberano desse povoado, um homem muito corajoso e generoso, fez questão de ir pessoalmente até a fronteira conversar com a peste e pedir que não atacasse ninguém de seu reino.

Depois de intensa negociação, a peste cedeu:

— Está bem, vou levar apenas cem pessoas do seu reino. Imaginava levar pelo menos cinco mil, mas como você é um grande soberano e seu reino é formado de pessoas muito bondosas, vou levar apenas cem.

Mesmo a contragosto, o soberano aceitou. E a peste começou a trabalhar. Morreram dez, cinquenta, cem. Em seguida, mil pessoas, duas mil, até se completarem as cinco mil mortes. O soberano já estava desesperado quando anunciaram que a peste queria vê-lo.

— Vim me despedir de vossa majestade – disse a peste.

Esbravejando, o soberano pediu, então, explicações:

— Peste, você mentiu para mim! Disse que levaria somente cem pessoas de meu reino e matou cinco mil!

Ao que a peste, serenamente, respondeu:

— Não, eu matei apenas cem pessoas, como havia prometido. As outras quatro mil e novecentas morreram de medo.

Seus pensamentos irão se realizar. Portanto, esteja atento a eles: se neles existirem desgraças, as desgraças acontecerão; se neles existir felicidade, é a felicidade que brotará.

Observe suas ações. A maioria das pessoas age sem consciência, como se fosse sonâmbula. Somente adquire consciência de seus atos depois que não restou outra saída senão o arrependimento. Arrepender-se e desculpar-se são atitudes generosas, mas o melhor mesmo é evitar que sua impulsividade provoque estragos.

Segunda ponte: confiança ou fé

Acredite! Quando você deixar que a vida tome conta, começará a perceber o quanto tem sido abençoado. Libertar-se do medo é como pular de um trampolim. Quando você se entrega, salta em direção à vida. Esse é o salto da fé.

Viver a ilusão de ter uma espada sobre a cabeça é como estar à beira do trampolim, mas não ter coragem de mergulhar. Adquirir essa coragem significa encarar a vida com todos os seus riscos, desfazer a assustadora visão de perigo por todos os lados.

A fé é a mais intensa ligação entre o plano espiritual e o material. Por meio dela descobre-se a existência de uma força maior, capaz de nos levar à realização, à criação e à superação de nós mesmos. Somente por meio da fé as pessoas desabrocham, os relacionamentos tornam-se mais fortes, e os sentimentos, mais intensos.

Fé é diferente de esperança. A segunda convida a uma passividade que nos mantém presos a uma sensação de sermos vítimas do destino. A fé é a certeza que nos confere energia para agir. É a certeza de que a vitória virá nos dar força para batalharmos todos os dias.

Perceba que Deus o protege em todos os setores da sua vida. Quando ocorre a integração com o divino, você relaxa as tensões, se descontrai e aproveita melhor os momentos da vida.

Concentre-se inteiramente no que você faz. Seja viver uma relação amorosa, seja preparar um relatório de trabalho. Tranquilize-se e curta intensamente cada momento. Conscientize-se de que as coisas acontecem no presente e que o seu objetivo é viver bem agora.

Viver, sem dúvida, é a melhor de todas as metas, é abandonar os medos.

Não viva como um fugitivo, escondendo-se o tempo todo, envergonhado de seus desejos. Confie e, de repente, um grande amor vai aparecer na sua vida.

Não sofra! Muita gente sofre por antecipação. Quem vive assim faz um seguro "antissofrimento" para se manter permanentemente afastada de fatos novos; consegue até não sofrer, mas também não vive.

Uma senhora que trabalhava em minha casa tinha um filho da mesma idade dos meus a quem eu sempre convidava para sair. No entanto, ela nunca consentia. Um dia, perguntei a ela:

— Por que você não deixa seu filho sair com os meus?

E ela respondeu:

— Ele tem de entender que é pobre. Se sair com vocês, se acostumará a viver melhor e depois sofrerá quando voltar para nossa casa.

Se uma pessoa passar a vida toda evitando sofrimento, também acabará evitando o prazer que a vida oferece. Há milhares de tesouros guardados em lugares onde precisamos ir para descobri-los. Há tesouros guardados numa praia deserta, numa noite estrelada, numa viagem inesperada, num salto de asa-delta... O importante é ir ao encontro deles, ainda que isso exija uma boa dose de coragem e desprendimento.

Não procure o sofrimento. Mas, se ele fizer parte da conquista, enfrente-o e supere-o. Arrisque, ouse, avance na vida. Ela é uma aventura gratificante para quem tem coragem de arriscar.

Terceira ponte: alto-astral

Alto-astral é energia positiva. É a capacidade de transcender aos acontecimentos dolorosos da vida.

Outro dia, li em uma placa: "Não leve a vida a sério. Você não vai sair vivo dela". Quem tem uma postura muito séria, carrancuda, não deixa fluir a criatividade. Mas o alto-astral, a atitude positiva, consegue transformar um pântano em jardim.

A sociedade nos pressiona a ser sérios, contraídos. Parece até que essa conduta tem o poder de garantir que as coisas sejam benfeitas, os relacionamentos honestos e que educação e ética sejam qualidades pessoais irreversíveis.

Muitas vezes, a pretexto de ser realista, o indivíduo acaba transformando-se em um pessimista: "Preciso examinar todos os problemas, analisar todas as dificuldades porque, do contrário, as coisas não funcionam."

É importante ter energia positiva. O psicólogo Martin Seligman, autor do livro *Learned optimism* [Otimismo aprendido], traçou um quadro muito interessante sobre a diferença entre o otimista e o pessimista.

O pessimista acredita que os eventos negativos têm origem em condições definitivas. Por exemplo: "Perdi o horário do voo porque sempre dou azar com avião". Para ele, os eventos positivos provêm de circunstâncias temporariamente positivas: "Meu chefe me elogiou porque queria que eu fizesse hora extra".

O otimista, ao contrário, atribui uma falha a um motivo circunstancial: "Perdi a partida porque estava exausto". Para ele, as situações favoráveis são causadas por fatos permanentes: "Meu marido trouxe flores para mim porque me ama".

O pessimista permite que uma decepção em determinada área de sua vida invada o restante dela. Quando é demitido do emprego, sente-se mal não só por ter perdido o emprego, mas por temer que outras pessoas da família também sejam demitidas, que falte dinheiro para o aluguel e a comida e assim por diante.

Já o otimista não permite que um problema específico contamine as demais áreas de sua vida. Se é demitido do emprego, procura ver o restante com bons olhos, vai à luta para conseguir outro trabalho, mantém o alto-astral.

Quando as coisas dão errado para um pessimista, ele logo se culpa, ainda que o erro não tenha sido seu. O otimista, ao contrário, reage com tranquilidade e pensa: "Bem, todo mundo tem seu dia de azar". Em seguida, procura uma solução para livrar-se logo do problema.

Diante de uma dificuldade, o pessimista acha que ela nunca será superada e que aparecerão muitas outras. Já o otimista tem a capacidade de analisar qualquer tipo de questão, organizá-la e solucioná-la rapidamente.

O fato de você se criticar não o ajudará a superar os obstáculos mais facilmente. Muitos conseguem vencer na vida mesmo sendo pessimistas. Mas por que pagar tão caro por suas vitórias? Por que se desgastar tanto para ter êxito?

Comece a cultivar dentro de você o alto-astral, o comportamento positivo; brinque com os reveses da vida, enfrente com bom humor até as situações mais complicadas.

Não leve tudo tão "a ferro e a fogo", viva solto, aja com leveza. Divirta-se consigo mesmo, com suas dificuldades, com seus deslizes. Você perceberá que a vida fica mais fácil. Brinque com a espada de Dâmocles. Sinta-se um cavaleiro, um Zorro, um espadachim, e desafie a sensação desagradável de ter uma espada sobre a cabeça.

Quando você se sentir pressionado, brinque, e perceberá que a solução aparecerá mais facilmente.

O alto-astral é uma forma de ver a vida. Portanto, é diferente do prazer. Quando falamos de prazer, inevitavelmente pensamos em sexo, comida, lazer. O alto-astral é bem mais que isso. É um gesto de generosidade para com a vida, com os erros, com as dificuldades.

A seriedade leva ao julgamento; o alto-astral, à compreensão. Uma boa maneira de saber como anda seu astral é observar se está julgando os outros. Quando alguém está feliz, não perde tempo nem energia com isso.

Quarta ponte: fluidez

Fluidez é uma característica relacionada à sua capacidade de ser espontâneo e levar a vida com facilidade, deixando tudo transcorrer naturalmente, como a água cristalina de um riacho.

Fluir é atravessar os espaços vazios para realizar o encontro. Quanto mais tranquilidade e espontaneidade alguém aplicar à vida, menos machucado sairá. Quando as pessoas são duras, rígidas, machucam-se com facilidade, atropelam-se, ferem-se, e os relacionamentos não fluem com facilidade.

Muita gente adota verdades rígidas, semelhantes a rochas. Quer ser dona da vida alheia e acaba provocando tensão ao seu redor. Mesmo alguns religiosos têm criado desgraças com sua rigidez. Daí existirem seitas que levam seus seguidores à morte. Elas pregam verdades que desprezam a vida. Quantas pessoas têm morrido, quantas guerras acontecido em nome de deuses tidos como donos dessas verdades imutáveis? Não existe uma única verdade, mas muitos caminhos, diversos pontos de vista para a mesma questão.

Quando os Dâmocles fluem, começam a se surpreender com a vida. Podem perceber, por exemplo, que a pessoa amada não os está rejeitando, que o distanciamento é apenas aparente; notam, então, que é timidez, dificuldade de expor sentimentos. Cabe aos Dâmocles brincar com o mal-entendido, desfazê-lo e fluir ao encontro do outro.

No sexo, o outro é a porta para a vida. Flua através dele. Duas pessoas rígidas não se encontram: esbarram-se, agridem-se. Você precisa aprender a ter a força da água, que, como não é dura como a pedra, sempre chega aonde quer pelos caminhos alternativos que encontra, amoldando-se às situações sem perder sua natureza e suas características.

Flua entre os problemas; eles são apenas acontecimentos que você ainda não compreende. Quando fluímos entre as dificuldades, somos como a água que envolve uma pedra: podemos ver todos os lados da situação, conhecê-la melhor e superá-la com mais facilidade.

Flua mesmo quando a morte chegar. Ela é apenas a parteira que o ajudará a renascer.

O medo é uma cortina que impede a pessoa de enxergar o arco-íris da vida! Rasgue essa cortina e veja quantas maravilhas existem ao seu redor. Observe quantas pessoas o admiram, e quantas são mais felizes porque você as ajudou.

Lembre-se: você é sensacional e eu sou seu fã!

Se você se deu conta de que viver como Dâmocles tem destruído sua felicidade, leia meu livro *A coragem de confiar*, no qual você poderá aprender a ter mais fé, aumentar sua confiança e perder o medo de sofrer.

Sísifo

O mito

Um dos personagens mais interessantes da mitologia grega é Sísifo, o rei de Corinto. Sísifo era tido como o mais esperto entre os homens. Apesar de toda a sua astúcia, ou, talvez justamente por causa dela, sempre se via diante das situações mais complicadas. Cada esperteza criava novas dificuldades, que por sua vez pediam novos estratagemas, em uma eterna sucessão de saídas provisórias.

Certa vez, Sísifo descobriu por acaso que Zeus havia raptado Egina, filha de Ásopo, o deus dos rios. Como faltava água em suas terras, Sísifo teve a ideia de revelar a Ásopo o paradeiro de sua filha, desde que ele lhe desse em troca uma nascente. O pai, desesperado, aceitou de bom grado a proposta. Deu a Sísifo a nascente e soube então que sua filha fora raptada por Zeus.

Sísifo teve a água, mas arrumou outro problema: Zeus ficou furioso com a delação e mandou a Morte buscá-lo.

Confiando na própria astúcia, Sísifo recebeu a Morte e começou a conversar. Elogiou sua beleza e pediu-lhe que o deixasse enfeitar seu pescoço com um colar. O colar na verdade não passava de uma coleira, com a qual Sísifo manteve a Morte aprisionada e conseguiu driblar seu destino.

Durante um tempo, não morreu mais ninguém. Sísifo soube enganar a Morte, mas arrumou novas encrencas. Dessa vez com Hades, o deus dos mortos, e com Ares, o deus da guerra, que precisava dos préstimos da Morte para consumar as batalhas.

Tão logo teve conhecimento do acontecido, Hades libertou a Morte e ordenou-lhe que trouxesse Sísifo imediatamente para os Infernos. Quando Sísifo se despediu da mulher, teve o cuidado de pedir secretamente que ela não enterrasse seu corpo.

Já nos Infernos, Sísifo reclamou a Hades da falta de respeito de sua esposa em não enterrar seu corpo. Então suplicou por um dia de prazo para se vingar da mulher ingrata e cumprir os rituais fúnebres. Hades concedeu-lhe o pedido. Sísifo retomou então seu corpo e fugiu com a esposa. Havia enganado a Morte pela segunda vez.

Viveu muitos anos escondido, até que finalmente morreu. Quando Hades o viu, reservou-lhe um castigo especial. Sísifo foi condenado a empurrar uma enorme pedra até o alto de uma montanha. Antes de chegar ao topo, porém, a pedra rolava para baixo, obrigando Sísifo a retomar sua tarefa, até o fim dos tempos.

Os Sísifos modernos: a infelicidade por falta de resultados

Um dos acontecimentos que mais aperta meu coração é ver a quantidade de pessoas maravilhosas que destroem suas possibilidades porque não conseguem transformar esforço em resultados.

Quantos médicos, advogados, empresários, palestrantes, profissionais com um potencial infinito vivem sempre apaixonados por um projeto novo, mas nunca finalizam o que começam...

São muitas as pessoas que me enviam e-mails quase todas as semanas pedindo uma orientação sobre um novo projeto. Mas elas não conseguem se concentrar e ir até o final. Em suas palavras, há a alegria de criar uma nova ideia, e no coração reina a ilusão de que essa ideia vai resolver tudo. Essas precisam aprender a ter profundidade em tudo o que fazem.

Vamos mergulhar na personalidade desses Sísifos modernos.

A infelicidade por falta de resultados é uma das mais doloridas que existem e lentamente despedaça o coração dos Sísifos. Eles olham para sua vida e percebem que utilizaram muito pouco de seu potencial. O resumo de sua vida é: muito trabalho para pouco resultado.

Os Sísifos olham para o passado e veem as oportunidades que perderam. Nas noites solitárias, lembram-se dos amores desperdiçados. É uma dor silenciosa que eles têm de carregar em seu exílio dentro de casa.

Em geral, Sísifos são pessoas ótimas para se conversar, pois sempre têm na ponta da língua uma justificativa para o fracasso no amor, nos negócios, no emprego. E a responsabilidade (em geral, culpa) nunca é deles, mas do cônjuge, do sócio, do chefe ou dos pais.

Quando os Sísifos olham pelo retrovisor, têm de aguentar as lembranças de muitas pedras que não conseguiram levar até o topo da montanha. Na realidade, eles não aprenderam a fazer isso.

Há três pontos nos quais os Sísifos ancoram sua infelicidade:

1. NÃO CONSEGUIR REALIZAR SUAS METAS. Os Sísifos não conseguem ir até o final de seus objetivos porque recuam na primeira dificuldade. Geralmente, eles culpam e acusam os outros, dão um milhão de explicações dos motivos, mas, dentro de si, sabem da verdade: faltou força interior quando partiram em busca de realizar suas metas e sonhos.

    Têm sempre na cabeça um projeto genial para ganhar dinheiro. Vivem a fantasia de que, com uma ideia mágica, não precisarão lutar para realizar suas metas. Mas tudo é apenas teórico, e nunca colocado em prática.

    A infelicidade causada por falta de resultados, de realizações, ocorre na vida de pessoas geralmente hábeis em procurar soluções paliativas, o que apenas aumenta seus problemas. Os atalhos que percorrem somente criam mais complicações. São os reis do quase:

- quase entraram na faculdade...
- quase se formaram...
- quase competiram por uma grande equipe...
- quase foram atrizes famosas...
- quase se casaram...
- quase foram promovidos.

Sua maior dificuldade é concluir os projetos porque falta organização, ritmo e foco. Um dia fazem muito, e, no outro, abandonam a tarefa. Por isso, a sensação constante é de que nada foi feito ou concluído em sua vida.

2. ESTAR SEMPRE ATRASADO. Os Sísifos são aquelas pessoas que sempre estão correndo porque estão atrasadas. Como são desorganizados, estão sempre com coisas por fazer, devendo algo para alguém.

Alguns até têm muita energia e conseguem terminar seu projeto, mas isso é feito à custa de sacrificar a qualidade do trabalho.

A maioria, em geral, perde mesmo os prazos. Falta a eles a disciplina de começar e se manter focado em concluir tarefas, pois sempre estão distraídos com uma novidade na vida.

Como qualquer nova distração altera seu ponto de atenção, esquecem-se do que estavam fazendo. Assim, estão sempre precisando recomeçar a fazer as coisas, o que toma mais tempo e só faz o atraso aumentar.

3. ADIAR CONSTANTEMENTE. O adiamento é uma das armadilhas mais comuns da infelicidade do Sísifo. A maioria não percebe o desgaste que é deixar uma situação sem solução e postergar as providências para resolvê-la.

Quantas vezes você já não deixou de fazer algo por estar cansado e protelou para o dia seguinte? Certamente, teria sido muito mais produtivo gastar alguns minutos mais e resolver aquela situação do que deixar sua mente ocupada com ela. Um dos segredos da vida é manter a mente fluida, sem preocupações.

A maioria das pessoas vive adiando prazos e pedindo prorrogações de datas, imaginando que assim estarão resolvendo seu problema. Iludem-se, pois a questão a ser resolvida saiu apenas temporariamente de suas urgências, mas precisará ser resolvida de qualquer modo.

Por vezes, os profissionais que não estão entregando os projetos perguntam para seu chefe: "Você acha que eu não estou dando o sangue?". Mas a pergunta que deveria ser feita é: "Você acha que eu sou desorganizado e desfocado?". Certamente, o chefe responderia que sim!

Se você encarar sempre seus piores desafios primeiro, tudo o que sobrar será bem mais fácil de ser resolvido. E nada em sua vida precisará ser adiado. Sua qualidade de vida será construída sobre resultados concretos.

A história de um Sísifo

Mário era um homem inteligente, bonito e carismático. Descendia de uma família carinhosa e muito unida. Mas seus pais eram superprotetores, faziam tudo por ele. Tudo mesmo. Não o deixavam aprender a viver por si próprio. Como eram ricos, ele não precisava trabalhar. Nunca aprendeu a lutar pelos seus sonhos. Iniciou pelo menos uns vinte negócios diferentes, mas nenhum foi adiante. Casou, teve filhos, mas, diante das primeiras dificuldades, separou-se. Como não tinha estabilidade profissional nem financeira, não cuidou das crianças.

Aos 40 anos, voltou a morar com os pais, que agora já não desfrutavam uma situação econômica favorável. Nas raras vezes em que arrumava emprego, pedia demissão semanas depois. Dizia que o salário não compensava tanto esforço. Não adquiriu o gosto por superar obstáculos.

A família criara um véu de proteção tão poderoso para aquele homem que nada o motivava. Mesmo depois, quando seus pais ficaram em situação financeira muito difícil, ele não conseguia arrumar trabalho, pois isso significava sacrifício. Na verdade, seu sonho era continuar a vida inteira como na infância, com empregados sempre disponíveis e os pais prontos a atendê-lo em qualquer necessidade.

Como Mário, muitas pessoas acabam se acomodando com o fracasso. Acostumam-se a pedir, em vez de correr atrás, e não percebem que o sofrimento de ser dependentes é muito maior que o de batalhar para alcançar seus sonhos. Sacrifício é uma palavra que não faz parte de seu vocabulário.

Sucesso sem luta é impossível. Sucesso é consequência de esforço, dedicação, planejamento. Os milagres existem, mas são construídos. As mágicas são simplesmente ilusões. Não existe magia na escalada do sucesso.

Quando se pretende realizar um sonho, deve-se entender que os obstáculos são do tamanho do sonho. Muitos costumam desprezar essa dificultando – ou mesmo tornando impossível – a realização do sonho.

Histórias de fracasso são construídas pela falta de organização para superar as dificuldades (e muitas vezes pelo desprezo que se tem por elas). Quanto maior o sonho, maiores as dificuldades. Isso não quer dizer que é preciso preocupar-se com elas a ponto de inibir as iniciativas necessárias para realizar os sonhos. Mas é preciso conhecê-las para poder enfrentá-las e superá-las. O verdadeiro campeão sabe que em toda disputa é possível tanto ganhar quanto perder, se prepara para não ser surpreendido e sabe que os sonhos malcuidados se transformam em pesadelos.

A infância

Em geral, os Sísifos têm pais superprotetores, que acreditam estar fazendo um grande bem a seus filhos eliminando da vida deles todos os problemas. Não percebem que ser pai é a arte de se tornar desnecessário, é ajudar os filhos a aprender a superar desafios e a confiar em sua própria capacidade. Pais superprotetores são capazes até de montar um quebra-cabeça para os filhos só para livrá-los desse trabalho.

O pai que evita, de todas as maneiras o sofrimento do filho acaba minando a força natural que existe nele. É o que acontece quando a criança, cursando uma escola mais exigente, não vai bem em uma ou outra matéria. Em vez de estimulá-la a superar a dificuldade, o pai prefere diminuí-la transferindo-a para uma escola mais fraca. Se isso não for bem elaborado, essa criança poderá criar a ideia de que o pai sempre aparecerá para resolver seu problema.

Os pais acabam criando filhos que não foram treinados para as dificuldades e, não sabem enfrentá-las, eles se tornam pessoas desajustadas que não sabem enfrentar os desafios da vida.

Havia, no Alasca, um pássaro conhecido por sua árdua luta para não ser chamado dodô. Era ágil e conhecia a região gelada. Quando chegava o inverno, ia buscar alimento naquela região mais quente, depois voltava. Assim migrava para lugares mais quentes e vencendo seus desafios... Lutando

Com o tempo, o pássaro dodô transferiu-se para as Ilhas Maurício, onde havia comida em abundância. Lá, ele engordou, desaprendeu a voar longas distâncias e deixou de lutar pela sobrevivência, pois tudo era fácil. Então, chegou o dia em que foi exterminado pelos porcos, que o mataram já que ele perdera a capacidade de voar. Desse modo, esses pássaros foram extintos.

Por isso, agradeça às adversidades e aos obstáculos, pois eles impedem que você se acomode e o estimulam permanentemente a superar seus limites.

Sofrimento básico: frustração

Os Sísifos são viciados em frustrações por não conseguirem atingir objetivos. Entram em uma disputa com a sensação de que serão vencidos. Estão acostumados às derrotas. Claro que não admitem, mas se prepararam para a frustração.

Quando as coisas dão errado, eles têm sempre uma desculpa preparada. O Sísifo é um perdedor que vive em um mundo de ilusões: novo projeto, nova amizade, novo emprego, novo curso. Acha sempre que "desta vez, tudo vai ser diferente". O problema é que ele se esquece de que, se não mudar sua maneira de encarar a vida e os problemas, o resultado será sempre o mesmo.

São pessoas que não percebem que sonho sem ação é pura ilusão. O sonho é apenas o primeiro passo. Precisa vir acompanhado de coração e determinação.

Os campeões não se conforma_____ ___do não conseguem realizar seus sonhos. Isso é muito ____ ____ orque, a cada vitória, percebem que podem confiar __ ____ ___ O melhor alimento da autoestima são as vitórias_____ ___ ____r com as vitórias.

Quando você não realizar um sonho, sinta-se angustiado, inconformado. Aprenda a lição e, da próxima vez, tire nota 10.

Para alcançar resultados, realizar grandes feitos e obter vitórias é preciso ter foco. É necessário concentrar energia no objetivo que se quer alcançar e trabalhar para concretizá-lo com ritmo. Você pode até fazer um pouco por vez, mas precisa fazer sempre, constantemente, com cadência, como uma música que tem um andamento definido, do começo ao fim.

E, o mais importante: é preciso ir em frente continuamente, encontrando os problemas que aparecerão no caminho e ultrapassando-os, transpondo uma a uma as barreiras, sem desistir, sem esmorecer, e sem desanimar com as dificuldades. Quem faz isso, percorre a estrada que leva até o objetivo. Quem não faz, não consegue realizar e obter o resultado desejado.

Conheci uma jovem que, durante muitos anos, tratou mal seu marido. Um dia, ele resolveu separar-se dela. Então, ela me procurou. Durante mais de uma hora, eu a escutei. Por fim, ela me perguntou:

— Roberto, o que você acha que eu devo fazer? Estou me sentindo tão mal...

E eu respondi:

— Deixe que essa dor tome conta de você. Sinta-se mal. Porque assim você abre sua consciência para aprender a tratar bem seu próximo companheiro. É fundamental que você aprenda a utilizar essa angústia, esse arrependimento, como combustível para mudar a maneira de tratar quem você ama.

Algumas tribos indígenas dizem que o colo estraga as pessoas, e é verdade. Proteger uma criança que apresenta dificuldades na escola é uma coisa, mas mimar um adulto que não consegue manter um emprego é o mesmo que arrancar o coração dele.

Quando o fracasso não provoca nenhuma reação é sinal de que o sonho está perdendo a força. Do mesmo modo, quando um executivo não se incomoda por sua empresa não estar atingindo as metas propostas, no ano seguinte se preocupará menos ainda com isso. Em pouco tempo perderá o cargo ou será demitido.

É a dignidade que leva as pessoas a atingir seus sonhos e transmite à consciência a seguinte mensagem: "Você é mais do que está conseguindo". Esse pensamento fornece energia para concluir um curso, lutar por uma promoção e resolver os desencontros de um relacionamento.

O campeão sabe que está perdendo a dignidade quando começa a colecionar derrotas e percebe que algo diferente tem de ser feito para mudar os resultados.

Grandes sonhos exigem grandes crescimentos, grandes mudanças. Não adianta alguém querer alcançar um grande sonho se não estiver disposto a trilhar o caminho da evolução. Os campeões percebem as oportunidades e fazem as mudanças necessárias para aproveitá-las.

Durante meu curso na faculdade de Medicina, uma amiga, que pertencia a uma família riquíssima, apaixonou-se por um rapaz que trabalhava como auxiliar de contabilidade e me deu uma linda aula de amor.

Fiquei amigo desse rapaz. Certo dia, ele me contou:

— Sou apaixonado por ela e percebo a diferença que há entre nós. Mas decidi que este ano vou entrar na faculdade e assim diminuir um pouco essa diferença.

Então, eu lhe perguntei:

— Mas nem o Fundamental completo você tem, como vai poder entrar este ano na faculdade?

Determinado, o rapaz fez curso supletivo, passou nos exames de Ensino Fundamental, no de Ensino Médio e, no final daquele ano, prestou vestibular para Administração de Empresas.

Quando chegou o Natal, seu presente para a mulher amada foi a matrícula na faculdade. Até hoje, o casamento deles é muito feliz. Desde o princípio, os dois mostraram que estavam dispostos a fazer os sacrifícios necessários para chegar à felicidade. Amar não é apenas um sentimento, mas uma maneira especial de tratar a pessoa de quem gostamos.

Quando alguém acalenta um grande sonho, precisa estar disposto a evoluir para poder realizá-lo.

Relacionamentos afetivos

Os Sísifos demoram vários anos para conquistar a pessoa amada e, quando conseguem, imaginam que a partir dali viverão no paraíso. Mas, quando descobrem que ainda há muitos desafios a superar, decepcionam-se.

Acorde! Existe uma beleza imensa em construir juntos.

Não há nada que já venha pronto e seja definitivo que valha a pena. Os seres vivos exigem evolução.

Os Sísifos tendem a se transformar em um peso na vida da outra pessoa. Um parceiro que aceita o comodismo da parceira, ou vice-versa, repete o papel dos pais superprotetores. Até o momento em que essa atitude se torna para o outro, ou outra, uma cruz pesada de carregar. Nesse momento, passa a predominar o mau humor, e as reclamações são insuportáveis. Os Sísifos, então, assumem seu papel de vítimas, de pessoas que nunca conseguem atingir suas metas.

Desperte e levante-se! Venha observar o sol aquecendo o planeta. Existe muito amor para você aproveitar nesta vida, mas é preciso dar, e não apenas receber.

Quando uma pessoa não quer ficar com você, isso não significa que você seja desinteressante. Trata-se de uma opção da pessoa, e não de uma rejeição a você. As pessoas têm direito a escolhas, e isso é apenas um indicativo de como elas estão naquele momento, e não como você está.

O importante no amor é perceber que, quando o outro diz *não*, isso não significa que você está sendo rejeitado nem que seu companheiro está dizendo algo de você: ele está dizendo algo de si mesmo.

O amor é um aprendizado. Como diz o poeta, amar se aprende amando.

Houve um homem que passou a vida inteira procurando a mulher perfeita. Terminou solitário, e um amigo o consolou:
— Que pena. Você passou a vida procurando a mulher perfeita e não a encontrou.
O homem, então, respondeu:
— Não, eu a encontrei.
Curioso, o amigo quis saber:
— Por que não ficou com ela?
E ele respondeu:
— Porque ela não quis, estava procurando o homem perfeito.

Quem disse que se você encontrar o parceiro perfeito ele vai ficar com você? Quando duas pessoas se conhecem, procuram aperfeiçoar-se no amor porque o amor não existe antes da experiência, ele se constrói com a evolução. Esse é o amor que verdadeiramente transforma as pessoas.

Certa ocasião, eu estava na Índia com um guru quando um rapaz o procurou:
— Mestre, minha esposa é muito chata, muito encrenqueira, e eu estou querendo deixá-la.

O guru perguntou se ele a amava.
— Sim, muito — respondeu o rapaz.
— Então você deveria ficar com ela.
— Mas, mestre, ela é muito chata.
E o mestre prosseguiu:
— Quando você chega em casa e sua mulher está bonita e perfumada, cuidando de você e dizendo "eu te amo", esse amor é bonito, mas não evolui. O crescimento acontece somente quando seu afeto não é condicionado às circunstâncias.

Amar seu filho quando você chega em casa e o encontra limpo, carinhoso, dizendo: "Pai, eu te amo" pode ser um amor bonito, mas sem glória. É completamente diferente de você chegar exausto do trabalho, gripado, querendo tomar um banho e dormir e encontrar seu filho doente. Seus planos mudam. Você passa a noite cuidando dele e, de manhã, quando o sol começa a entrar pela janela, você percebe que com seu carinho e sua dedicação ajudou-o a se recuperar. Nesse momento você descobre sua capacidade de amar.

Nunca desista de um amor simplesmente por causa dos obstáculos.

Aquele conto de fadas que acabava com a frase "e eles viveram felizes para sempre" não passa mesmo de conto de fadas. Na verdade, "foram felizes para sempre" deve acontecer até que o obstáculo seguinte apareça. Casar-se pensando apenas no romance representa uma passagem para o mundo da depressão. Não funciona. O bom do amor, além do romance, é olhar para trás e ver o quanto vocês evoluíram, imaginar o futuro e saber que ainda existem muitas conquistas para realizar juntos.

Perguntei ao mestre indiano Ramesh Balseakar por que as pessoas se machucam tanto quando amam. Ele respondeu:

— A gente tem de entender que as pessoas não são maldosas, mas ignorantes. Umas magoam as outras, mesmo quando estão com vontade de cuidar umas das outras.

Além de ignorantes, as pessoas são desajeitadas. De tão desajeitadas, muitas pessoas acabam machucando quando querem amar. A maldade não existe entre duas pessoas que querem estar juntas. Então, é preciso saber perdoar e admirar o desejo do outro de acertar.

Cada pessoa tem seu jeito de amar, maneiras diferentes, medos e ideias próprias. Às vezes, você pensa: "Mas ela poderia ter falado de outro jeito". Poderia, mas como compreender o mundo interior que a levou àquela reação? Como disse Cristo: "Pai, perdoai-os porque eles não sabem o que fazem." O amor é um longo caminho da ignorância até a sabedoria. Se você não sentir prazer em percorrê-lo, será somente uma ilusão.

Trabalho

Os Sísifos acreditam que existem dois tipos de pessoas: as pessoas que têm sorte e... eles. Pensam que, não importa o esforço que façam, não vão conseguir. Por isso, não se empenham em terminar o que começaram, como se falhar fosse um castigo eterno.

Os Sísifos primam por ideias novas, mas não levam nenhuma adiante. Estão sempre recomeçando. Sua carreira é cheia de altos e baixos. Nunca ficam em um único degrau. Ganham e perdem tudo, novamente ganham e perdem tudo. Sobem e descem na carreira com a mesma facilidade.

Têm ideias que consideram geniais, mas na prática é o que chamamos de fogo de palha. Meses depois já desanimaram diante dos obstáculos no meio do caminho. Para ter sucesso é preciso regularidade e constância.

No momento em que vai colocar a pedra no topo da montanha, falta-lhe força e a pedra rola, desmorona. Ele olha desconsolado e triste lá para baixo, e culpa a pedra. A culpa por não conseguir realizar sua meta é sempre da pedra ou da montanha. Ele nunca assume a responsabilidade por seus fracassos.

São pessoas que frequentemente têm problemas com dinheiro, gastam mais do que ganham e se tornam dependentes de quem os ajuda financeiramente. Com essa conduta, acabam criando dificuldades para a família.

Os Sísifos não percebem o grau de desqualificação a que se submetem. Não notam que o esforço para recomeçar é muitas vezes maior do que o necessário para concluir seus projetos.

Para eles, é importante perceber que uma vida é a soma de cada dia, e o tempo desperdiçado faz muita falta na realização de seus sonhos. De fato, as distrações nos levam a desperdiçar a energia que deveria estar concentrada em nossas metas.

Uma das causas mais comuns da distração é a desorganização. Bagunça gera um enorme desperdício de energia. Quando alguém não reserva tempo para se organizar, seu aproveitamento fica comprometido.

Querer não é poder, mas fazer. Você tem de entregar um trabalho na escola? Então, faça-o. Não perca tempo com perguntas inúteis: "Será que eu posso entregar mais tarde, será que eu entendi o que é para fazer?". O tempo que você gasta nisso fará falta mais adiante.

Aprenda a se concentrar no que está fazendo. Não fique dividido. Sua energia é desperdiçada quando você trabalha pensando nas férias e depois sai para o descanso pensando no trabalho. Concentrar esforços é fundamental.

Poder é ser dono de sua atenção.

Parece incrível, mas os maiores destruidores de nossos sonhos estão dentro de nós mesmos. Meu professor de judô, quando eu era criança, costumava dizer: "Roberto, a luta não é decidida no tatame, mas na sua maneira de ir para o combate. Quando você se levanta para ir ao tatame, já decidiu o resultado da luta. O pior adversário está dentro de você". A derrota ou a vitória estão dentro de nós.

A dúvida é o cupim da existência, aquele bichinho que fica dentro da madeira. Por fora parece que está tudo bem, mas por dentro a madeira já está corroída. Quando você decide realizar uma meta, proíba-se de dizer: "Será?"

Quando perceber dúvida dentro de você, pare, encare-a e destrua-a. Não importa se ninguém mais no mundo confia em você: a certeza tem de nascer do seu coração. Acredite sempre, aconteça o que acontecer, e lute pelos seus sonhos.

O talento sem realização transforma-se em frustração. É óbvio que há pessoas extremamente talentosas, empresários vitoriosos. Mais que outras, essas têm *feeling* para o negócio. Quando você observa Bill Gates ou Mark Zuckerberg, não resta dúvida de que eles têm talento. Quando ouvimos Elis Regina cantar é impossível deixar de perceber o talento fluindo de suas veias.

No entanto, muitas outras pessoas talentosas desperdiçaram seu potencial pelo caminho. Por quê? Porque não estabeleceram uma estratégia, não tiveram a humildade de estudar nem visão para criar novas opções. Garra e boa vontade são muito importantes, mas é preciso mais.

Outro dia, abri a porta de minha casa no sítio, entrei, olhei junto à janela e vi um passarinho quase morto. Cheguei perto do corpinho dele e vi que estava sangrando. Reparei que na vidraça havia marcas de sangue. Fiquei imaginando o que havia ocorrido; ele devia ter entrado por uma fresta e pensado que estava ao ar livre, mas, de repente, percebeu que estava dentro de uma grande gaiola. Então, olhou através da vidraça, certamente viu uma árvore muito frondosa que existe em frente à casa, lembrou-se de quando ficava naqueles galhos e voou em sua direção. Porém, no meio do caminho, chocou-se contra o vidro e começou a sangrar, em cima do bico. Talvez tenha, nesse momento, recordado o dia em que estava chovendo muito e ele teve de bater fortemente as asas. Ou, então, o dia em que, para não ser apanhado por um gato, teve também de bater fortemente as asas. E continuou batendo no vidro, até morrer.

Fiquei triste por ver o passarinho morrendo, mas ainda lutando. Depois, examinei o local e observei que, a apenas quarenta centímetros de distância da marca de sangue, a janela estava aberta.

Não basta somente lutar; é preciso, principalmente, lutar com visão e estratégia, procurar novos caminhos, e não apenas repetir as soluções que sempre deram certo.

Para os Sísifos, o caminho para a realização passa pelo desempenho concentrado e focado em cada atividade que praticam, sem perder tempo e terminando o que começam. Ou seja: defina seu objetivo e mantenha-se firme nele.

Filhos

Muitas pessoas, quando são convidadas para fazer um curso, assistir a uma palestra ou seminário, usam os filhos como impedimento e justificam: "Eu não posso ir porque tenho de cuidar dos meus filhos".

São essas mesmas pessoas que depois, quando não progridem na vida, jogam a responsabilidade nas costas dos filhos: "Minha vida teria sido diferente se eu tivesse feito uma faculdade, mas não fiz para cuidar bem de você, e agora você me abandona para estudar fora?" Os filhos devem ser motivação para um sacrifício extra, nunca a justificativa para o fracasso dos pais.

Os pais campeões nunca dizem para os filhos: "Isso não é para você." Ao contrário, procuram viabilizar, em conjunto com eles, uma maneira de realizar seus sonhos.

Os pais Sísifos são mestres em prometer coisas aos filhos e não cumprir. Por isso, estão sempre arranjando desculpas, justificativas, reclamando dos outros. Transmitem aos filhos o modelo de como ser vítima do mundo.

Geralmente, são pais muito divertidos, companheiros. Mas não são capazes de ensinar o prazer de ultrapassar desafios, o prazer da conquista, o prazer da vitória, o prazer de ser bom. Não ensinam que, para atingir metas, é preciso dedicação. É fundamental que os pais sejam para seus filhos modelos de autonomia.

Sísifo, não coloque seu filho em muitas atividades, porque dessa maneira ele vai aprender a ser apenas razoável em tudo. Ajude-o a manter o foco, a alcançar vitórias e, principalmente, a ser destaque em alguma coisa.

Amigos

Os Sísifos modernos sempre têm muitos amigos, gostam de conversar, saem para se divertir, são sedutores, cativantes. No entanto, tendem a escolher amigos também Sísifos, pessoas que não conseguem sucesso na vida, que estão sempre culpando os outros por seus fracassos, pedindo favores, que vivem dando desculpas. As pessoas realizadoras cansam-se dessas desculpas e acabam não desenvolvendo com os Sísifos uma amizade prolongada e sincera.

Geralmente, os Sísifos e seus amigos formam os clubes dos frustrados e oprimidos, uma entidade que congrega os teóricos do fracasso. Ficam conversando sobre suas ideias de como o mundo deveria ser, mas vivem sustentados por seus cônjuges ou pais, já que não conseguiram realizar nada.

A transformação do Sísifo

A transformação do Sísifo ocorre quando ele descobre o guerreiro que existe dentro dele e luta por seu objetivo até consegui-lo. É quando começa a colocar paixão no seu trabalho e vai até o fim.

Imagine se Albert Sabin vivesse como Sísifo? Ele nunca criaria a vacina que salva da poliomielite. Pense o que aconteceria se Santos Dumont não terminasse o que começasse? Ele nunca teria construído o avião!

Por que nem todas as pessoas conseguem realizar seus sonhos? O que elas devem fazer para conseguir?

Quando eu era criança, minha família era muito pobre e vivíamos em um bairro humilde. Depois de lutar durante muitos anos, meus pais compraram uma casa de alvenaria em um bairro melhor. Após algumas semanas na casa nova, minha mãe, achando-me um tanto estranho, perguntou se eu não estava feliz com a mudança. Então respondi:

— Mãe, adorei a casa nova, mas estou triste porque nossos amigos não vieram com a gente. Por que eles não se mudaram para cá?

Minha mãe explicou:

— Filho, infelizmente eles ainda não aprenderam a realizar seus sonhos. Tenho certeza de que todos os nossos ex-vizinhos gostariam de estar morando aqui, neste lugar, mas eles ainda não sabem como tornar seus sonhos realidade.

As pessoas não realizam sonhos porque agem como Sísifos. Ao não conseguir colocar a pedra no topo da montanha, vivem sempre muito frustradas, sofrendo inutilmente. A felicidade para elas é o sucesso, que infelizmente não atingem.

Para o Sísifo poder se transformar e finalmente colocar a pedra no topo da montanha, transformando esforço em resultado, ele precisa atravessar quatro pontes, que compõem um método prático para sua mudança.

Primeira ponte: determinação

Determinação é aquela força interior capaz de levar alguém a afirmar com convicção: "Este é o meu sonho. Não morro sem realizá-lo, mesmo que demore vinte, trinta anos". Ter determinação é ter clareza do seu objetivo, do que se quer alcançar. É preciso determinar uma meta e trabalhar para atingi-la, e só parar quando terminar.

Também é importante não ter vários objetivos simultâneos, não dividir sua energia, mas concentrar esforços para realizar o que se pretende. Se você está montando sua empresa, não vai funcionar se quiser viajar por dois meses para conhecer a Ásia.

Além disso, não se deve ficar mudando de ideia o tempo todo, pois assim você vai pensar muito, mas fazer pouco. Quem é volúvel não chega a lugar algum, porque não define o que quer, e não se define.

Quem fica começando um poço artesiano diferente a cada dia, geralmente não perfura até atingir a profundidade em que consegue obter água.

É muito ruim ver pessoas que abrem várias frentes, que iniciam muitos projetos, mas não conseguem fazer nada dar certo.

Se você vive como um Sísifo, inicie poucas coisas, mas termine o que começar.

Quando observamos os grandes atletas, podemos reconhecer neles a determinação em alto grau. Eles estabelecem e buscam suas metas com tanta força interior que os obstáculos somem de sua frente. Milhares de jovens dizem a si próprios: "Eu vou ganhar medalha de ouro, eu vou jogar na seleção". Mas a maioria deles, em vez de colecionar medalhas, acaba vivendo em baladas, colecionando garrafas de bebidas.

Somente os que tiverem determinação chegarão lá.

Isso ocorre muito no vestibular. Jovens determinados decidem ser engenheiros, advogados, médicos, e depois de algum tempo estão recebendo seus diplomas. A determinação faz com que eles adquiram poder para enfrentar os obstáculos.

Enquanto os jovens campeões imaginam o diploma e estudam com afinco, os perdedores queixam-se de cansaço. O campeão tem em mente a festa de formatura, enquanto o perdedor pensa no jogo de futebol do qual deixou de participar. O primeiro vive procurando solução para os problemas; o segundo, desculpas para desistir.

Conta-se que a tripulação das caravelas de Cristóvão Colombo, um dia antes do descobrimento da América, insistia em voltar para a Europa, achando que a viagem estava demorando muito, os alimentos estavam escasseando e eles não iriam mais chegar a lugar nenhum. Mas, como líder decidido que era, Colombo acreditou na sua meta e manteve a determinação de chegar ao Novo Mundo.

Se Cristóvão Colombo fosse um Sísifo, teria feito várias viagens em direção à América, mas não teria completado nenhuma. Em vez de receber a glória, viveria reclamando que não recebera apoio do rei e que dera muito azar na vida.

Pessoas determinadas fixam sua atenção nos objetivos, enquanto os perdedores não conseguem ser maiores que meros obstáculos. Estes se frustram; os primeiros triunfam.

Não adianta ficar pulando de galho em galho, sem conseguir se aprofundar em nada!

Defina seu alvo e avance!

Segunda ponte: dedicação

Dedicação é a capacidade de se entregar à realização de um objetivo.

Não conheço ninguém que tenha progredido na carreira sem trabalhar pelo menos doze horas por dia nos primeiros anos. Não conheço ninguém que conseguiu realizar seu sonho sem sacrificar sábados e domingos pelo menos uma centena de vezes.

Você precisa se dedicar ao seu projeto. É fundamental ir fundo no que se está fazendo, devotar suas energias para alcançar o resultado planejado. Mergulhe. Entregue-se.

O mesmo acontece com os pais que querem construir uma relação amiga com seus filhos. Eles precisam se dedicar a isso, superar o cansaço, arrumar tempo para ficar com eles, deixar de lado o orgulho e o comodismo.

Quem quer um casamento gratificante tem de investir tempo, energia e sentimentos nesse objetivo. Nada vem gratuitamente, sem trabalho, empenho e dedicação.

O sucesso é construído à noite! Durante o dia, você faz o que todos fazem. Mas, para conseguir um resultado diferente da maioria, você tem de ser especial. Se fizer igual a todo mundo, obterá os mesmos resultados. Não se compare à maioria, pois, infelizmente, ela não é modelo de sucesso.

Se você quiser atingir uma meta especial, terá de estudar no horário em que os outros estão tomando chope com batatas fritas. Terá de planejar, enquanto os outros permanecem à frente da televisão. Terá de trabalhar, enquanto os outros tomam sol à beira da piscina.

A realização de um sonho depende da dedicação. Há muita gente que espera que o sonho se realize por mágica. Mas toda mágica é ilusão. E ilusão não tira ninguém do lugar onde está. Ilusão é combustível de perdedores.

Terceira ponte: disciplina

Disciplina é a capacidade de seguir um plano obedecendo a um método, e, principalmente, de manter o foco.

Quando a atenção não fica concentrada em um único objetivo, a distração faz com que a energia seja desperdiçada.

Ter método evita desperdício de energia. O método pode ser seu, de seu professor, de seu líder religioso, de seu pai, não importa. O importante é que funcione e que você se disponha a segui-lo.

Ter método é fundamental para chegar ao objetivo! Se você quiser extrair água de um poço, não pode furar um buraco a cada dia. Precisa cavar muito em um único poço até atingir o ponto em que está a água.

Ser disciplinado é cumprir o necessário no tempo certo, é entregar o que se combinou no prazo, é manter as tarefas em dia.

Quando se fala em disciplina, a primeira coisa que vem à mente é o conceito de rigidez. Mas disciplina, na verdade, está associada à palavra discípulo, que é aquele que tem capacidade de aprender com um mestre, segundo seu método.

Quem quer resolver seu problema de obesidade necessita de disciplina. Não adianta ficar três dias sem comer e depois se entupir de chocolate. Quem quer ser campeão de natação tem de treinar todos os dias. Não adianta treinar durante dez horas seguidas e depois parar por três ou quatro dias.

Dentro de uma equipe de vendedores, por exemplo, cada um tem seu método particular de trabalho e de abordagem. Não existe um método melhor. Existe o que dá mais resultado, e isso tem relação com a pessoa que o aplica. O melhor método é o que dá o melhor resultado para a pessoa que o utiliza.

Mas a empresa campeã tem seu método e treina os seus vendedores para trabalharem dentro desse sistema.

Para seguir um método, você tem de ser organizado e humilde.

A humildade é fundamental para que não se perca tempo querendo reinventar a roda. Aprenda com aqueles que já conseguiram chegar lá, ande pela estrada que outros já abriram. E, quando chegar aonde eles já chegaram, aproveite para superá-los.

Quarta ponte: desprendimento

É a capacidade de abandonar o que não está funcionando para aprender o novo. É desapegar-se de certa maneira de fazer algo para conseguir um resultado melhor. É criar novos hábitos, novas crenças, e dispor-se a aprender e a desenvolver habilidades que não se têm bem treinadas.

Antigamente, eu escrevia meus livros à mão. Era bastante trabalhoso, mas eu gostava. Quando apareceu o computador, minha primeira reação foi achar que a nova invenção não me proporcionaria a mesma sensação gostosa de escrever meus textos. Lembro-me da batalha que meu irmão Gilberto travou comigo para me convencer a experimentar o computador. Foi preciso que eu me desprendesse da caneta, do papel, do concretismo que isso significava, para poder passar para o computador.

No começo foi uma luta, perdi muito texto por me esquecer de salvá-lo. Meu ritmo diminuiu bastante, achava muito mecânico digitar no teclado. Várias vezes pensei em desistir, mas, graças à ajuda de meu irmão, persisti até conseguir aprender a lidar com essa tecnologia. Hoje, adoro escrever em computador, e meu notebook transformou-se em um grande companheiro em minhas viagens.

Pode ser que a vida inteira você tenha trabalhado de um jeito. Mas chega a hora em que tem de mudar. É preciso haver desprendimento. Abandone o que você sabe (e, muitas vezes, o que você gosta) e pense nas vantagens da mudança. Gostar da mudança pode ser apenas uma questão de experimentar o novo.

Esta é a maior dificuldade de muitas pessoas: desaprender comportamentos que funcionaram no passado e partir para outros que funcionam melhor.

A rejeição à mudança é muito comum no ambiente empresarial, onde profissionais com muito tempo de casa recusam-se a mudar porque sempre fizeram as coisas de determinada maneira e deu certo. Alegam que têm experiência, mas se esquecem de que a experiência deles refere-se a outro momento.

Muito da nossa experiência tem raízes em um mundo que não existe mais.

É o caso também de pais que se relacionam bem com os filhos enquanto são crianças, mas não mudam seus hábitos quando eles entram na adolescência. Não vale a pena resistir à mudança, pois os adolescentes não querem ser tratados como crianças. Quando os pais insistem, os conflitos são inevitáveis. Para o bem desse relacionamento é preciso ter humildade, deixar o passado para trás e criar um novo aprendizado.

Nesta nossa longa viagem pelo planeta Terra, quem anda sobrecarregado acaba cansado, sem energia para aproveitar a vida. Amores passados, relacionamentos vazios, culpas, ressentimentos, crenças. Essas são algumas inutilidades que carregamos na bagagem da vida e que consomem uma quantidade considerável de energia, que poderia estar sendo destinada a coisas mais importantes.

Alvin Toffler diz que "o analfabeto do século XXI não é o que não sabe ler e escrever, mas o que não consegue aprender, desaprender e reaprender". Substitua o passado ineficiente pelas coisas novas que funcionam.

Se você se deu conta de que viver como Sísifo tem destruído sua felicidade, leia meu livro *Sem medo de vencer*, no qual você poderá se aprofundar no assunto e ter mais ideias para realizar seus projetos de vida, atingir seus objetivos e concretizar seus sonhos.

Midas

O mito

Midas era um rei completamente apaixonado por dinheiro e, apesar de milionário, queria ter sempre mais para ser a criatura mais rica do planeta. Quando Baco lhe ofereceu a realização de um desejo, como recompensa por ele ter cuidado de um amigo, Midas pediu o poder de transformar em ouro tudo o que tocasse. Baco percebeu que esse desejo significava a destruição de Midas, mas, como prometera realizar qualquer desejo, cumpriu a palavra.

Midas voltou a seu reino e resolveu testar se realmente adquirira esse poder. Durante a viagem, tocou uma pedra e imediatamente ela se transformou em uma enorme pepita de ouro. Logo adiante encontrou um galho de árvore e, ao segurá-lo, percebeu que ele se transformara numa barra de ouro. Tudo o que ele tocava virava ouro. Não demorou a perceber que poderia ser o homem mais rico da Terra. Seus cavaleiros ficaram sobrecarregados de tanto transportar ouro.

Chegando ao palácio, mandou servir um jantar delicioso, com todo o requinte. Então levou um choque. A realidade mostrou-se cruel. Todo alimento que seus lábios tocavam virava ouro. O pão transformava-se em ouro, assim como qualquer alimento. E, para seu desespero, a água que quis beber, quando tocada por seus lábios, também se transformou em ouro. Percebeu, então, toda a loucura de seu desejo. Não conseguia mais se alimentar, não poderia dormir num leito macio nem tomar banho numa banheira cheia de água morna.

    O rei Midas voltou a procurar Baco e pediu-lhe que tirasse dele esse poder. Baco orientou-o para que se lavasse nas águas do rio Pactoros e, com efeito, depois de ter tomado banho naquele rio, ele perdeu o poder de transformar tudo em ouro. A consciência dessa transformação fez com que Midas abandonasse sua ambição material e passasse a viver de maneira mais simples e afetiva.

Os Midas modernos: a infelicidade por falta de amor

O mito do rei Midas é vivido por homens e mulheres que desejam ter o poder de transformar em ouro tudo aquilo que tocam. Se forem donos de uma empresa, ela será uma mina de lucros. Se forem líderes de um departamento, este produzirá resultados maravilhosos. Os projetos que administrarem sempre serão bem-sucedidos.

    Esse modelo de infelicidade é semelhante ao que ocorre com quem passa a vida inteira andando de avião. Pensa que conhece todas as cidades, povos, costumes e paisagens. Mas, na verdade, conhece somente aeroportos, hotéis, escritórios e salas de convenções.

    Como o rei Midas, aqueles que vivem esse tipo de infelicidade são ricos e poderosos, mas não desfrutam suas conquistas. São pessoas fascinantes, com muitos amigos, mas que nunca têm tempo para cultivar e usufruir essas amizades. Têm casamento sólido, mas não percebem o amor que lhes é dedicado. São amadas pelos filhos, mas não desfrutam esse amor.

    Os Midas modernos nem sempre se preocupam em acumular riquezas materiais, imaginam-se reis, embora se vistam como mendigos. Alguns procuram acumular poder por meio de cargos ou títulos e se tornam arrogantes porque detêm muito conhecimento. Os venenos são diferentes, mas o efeito é o mesmo!

É triste ver gente que chega aos 50 anos e descobre que passou a vida inteira correndo atrás de bens vazios, sem nenhuma essência. A ambição desmedida faz com que essas pessoas não aproveitem um leito macio para dormir, embora frequentem hotéis elegantes e sofisticados.

O sucesso profissional, quando é conquistado sem vínculos afetivos, leva muitos Midas a viver na solidão. Esse é o preço que pagam por transformar tudo em ouro.

Os Midas modernos vivem uma infelicidade dourada. São pessoas carentes em meio a aplausos, dentro de carros maravilhosos, durante jantares magníficos e, principalmente, no isolamento de suas gaiolas de ouro. Podem comprar qualquer coisa que o dinheiro permita, mas não têm o poder de se sentir em paz e criar relacionamentos duradouros.

Vivem acusando, reclamando e dando desculpas para sua solidão. Culpam as pessoas com as quais convivem por sua infelicidade. Como se sentem superiores aos demais, estão sempre fugindo da responsabilidade da vida afetiva.

Mas atenção! Nem todos os ricos agem como Midas. Para muitas pessoas de sucesso, o dinheiro é apenas o passaporte para a felicidade, e essas são modelos de felicidade.

A história de um Midas

Paula é uma rica empresária que foi pobre durante a infância. Desde criança, se acostumou a viver sem o pai, que a abandonou quando se separou da mãe. Depois de fazer faculdade de Administração de Empresas, trabalhou alguns anos em um banco, onde teve uma carreira brilhante. Resolveu, então, criar seu próprio negócio. Tinha prazer em contar que trabalhava 24 horas por dia, pois até durante o sono pensava em novos negócios. Os domingos eram seus únicos dias aborrecidos. Nunca tirava férias; no máximo, emendava um final de semana em uma viagem de negócios.

Casou-se depois dos 30 anos, mas, na verdade, nunca foi apaixonada pelo marido, o que serviu de desculpa para a separação. Depois disso, manteve apenas romances rápidos, já que ninguém conseguia suportá-la.

Paula teve filhos, mas jamais foi buscá-los na escola ou assistiu às apresentações de balé da filha. Para ela, a vida era uma eterna competição. Não admitia perder nem em jogo de tênis. Queria ganhar sempre. Os filhos diziam que era impossível dialogar com ela porque não eram ouvidos.

Em contrapartida, ela era muito admirada. Vestia-se bem, usava joias e sempre aparecia nos jornais exibindo os prêmios conquistados. Destinava uma parte de seu dinheiro a obras assistenciais, o que aumentava ainda mais a admiração de todos.

Conversar com ela era estar disposto a ouvir sermões. Sua vaidade fazia com que visse defeitos em tudo e em todos. Era a única certa, os outros estavam sempre errados. Quando alguém lhe dizia algo que a desagradava, ela fazia questão de mencionar seu sucesso para provar que era melhor que todos.

A infância

A infância dos Midas foi, em geral, carente de afeto ou de bens materiais. Na época, não tiveram carinho das pessoas que amavam. Então resolveram se arranjar sozinhos e ter sucesso para nunca depender de alguém, ainda que com isso passassem a esconder seus sentimentos.

Quando se sentiam solitários, muitas vezes não recebiam ajuda nem proteção. E ficavam com raiva. Resolveram, então, negar essas fraquezas e reproduziram esse comportamento até a idade adulta. Quando se sentem frágeis, demonstram irritação e afastam a possibilidade de receber ajuda.

Em alguns casos, os Midas tiveram infância rica, mas sentiam-se impotentes para obter amor dos pais. Não conseguiam fazer o pai ficar em casa para lhes dar a atenção de que necessitavam ou não obtinham da mãe a tranquilidade proveniente do afeto e da ternura. Ganhavam muitos presentes, mas pouco carinho.

Aqueles que, quando crianças, passaram por dificuldades materiais, não tiveram suas necessidades básicas atendidas e se desesperaram. Por isso, prometeram a si próprios que nunca mais iriam se sentir carentes. Assim, acumulam riquezas para poder comprar tudo o que desejam, esquecendo-se, porém, de que o verdadeiro amor não está à venda.

Sofrimento básico: voracidade

Para um Midas, suas conquistas nunca são suficientes. Ele está sempre procurando preencher compulsivamente seu vazio existencial com vitórias que o afastam ainda mais de seus sentimentos – e não se satisfaz com elas.

Assim que atinge seu próximo objetivo, seja um amor, uma casa na praia, um carro, perde o interesse e parte para nova aventura.

Quer sempre mais. Vive em eterna competição. Tem insônia quando descobre que um concorrente teve sobre ele uma pequena vitória. Quer tudo para si, especialmente poder, sexo e dinheiro. Poder para controlar as pessoas e estar sempre em evidência;

sexo como forma de exercer seu domínio sobre alguém que deseja; dinheiro, seu maior vício, para exibir-se para os outros e sentir o poder que a riqueza pode lhe trazer.

Como é competente, cada dia acumula fortunas e jamais recusa trabalho porque não consegue descartar a possibilidade de faturar mais ainda.

É o caso do profissional liberal que está sempre assumindo mais compromissos. Pensa: "Como posso recusar um cliente que vai me pagar tão bem?" Vive uma grande ilusão, pois acha que domina o dinheiro. Na verdade, o dinheiro é que o domina, que é o todo-poderoso nessa relação. Qualquer um consegue dele o que quiser se lhe acenar com um belo pacote de notas.

Um homem muito rico procurou certo mestre na Índia e, com muita arrogância, lhe disse:

— Vou lhe dar mil moedas de ouro para construir o seu templo.

O mestre, então, respondeu:

— Por mim, tudo bem, aceito seu dinheiro.

Surpreso, o milionário continuou:

— Você está louco, estou lhe dando mil moedas de ouro, quando é possível viver a vida inteira com uma só delas, e você diz que aceita como se estivesse me fazendo um favor?

Impassível, o mestre repetiu:

—Tudo bem, não há problema, vou aceitar.

Furioso, o milionário arriscou:

— Você é muito egoísta, quer me humilhar, não está valorizando meu presente...

O mestre respondeu:

— O que você pensa que está me dando? Você destruiu sua vida inteira por causa desse dinheiro. Agora quer me dar a fonte de todas as suas angústias e ainda espera que eu fique agradecido? Essa voracidade tem sido o seu câncer, tem corroído seu estômago. Você quer me dar o seu câncer e ainda quer que eu lhe agradeça? Você é que tem de me agradecer por aceitar a sua doença. Mas tudo bem, eu a aceito.

Então o homem deu o saco de moedas ao mestre, que decidiu:

— Agora que esse dinheiro é meu, pegue-o e jogue-o no fundo do rio.

Ao ouvir isso, o milionário ficou ainda mais desesperado:

— Como pode jogar no rio o fruto de todo o meu sacrifício? Como despreza toda uma vida de luta?

E o mestre respondeu:

— Você não é o seu dinheiro. Sua vida tem mais valor que qualquer de suas conquistas.

A felicidade começa a acontecer para os Midas quando eles se entregam ao sabor das pequenas coisas que embelezam a vida. Passam então a perceber que sua fome não é de números, mas de carinho das pessoas amadas.

Se você está se identificando com o Midas, é hora de parar de pensar em acumular dinheiro para começar a colecionar momentos de amor, paz e alegria.

Relacionamentos afetivos

Um Midas não tem tempo para criar vínculos plenos, duradouros, pois acha que envolvimentos afetivos representam perda de tempo, e ele tem medo de que alguém descubra suas fragilidades. No início de um romance, é superapaixonado. Mas isso dura somente algum tempo. Parece aquela criança que atormenta o pai para ganhar um brinquedo e, depois que o consegue, brinca com ele durante quinze minutos e o despreza.

No início, deixa a empresa com seus auxiliares só para ficar mais tempo com a pessoa amada. Um ou dois meses depois, a história já é outra. Começa a ouvir aquela vozinha dentro dele: "Você não pode perder seu tempo com isso... Namoro é perda de tempo, paixão é perda de tempo." Namorar um Midas traz frequentemente uma enorme sensação de engano, pois ele faz mil acrobacias para conquistar e logo depois perde o interesse. É como se o amor virasse um peso. Quando o namorado telefona, uma Midas tem a sensação de que seu espaço está sendo invadido, sente-se sufocada.

Os Midas vivem a fantasia de um dia encontrar a pessoa perfeita, na esperança de que ela traga imediatamente o amor total. Mas, quando o enlevo do primeiro momento dá espaço às dificuldades, não conseguem se doar e procuram se livrar do outro como se ele fosse a fonte de seus problemas. Ao se sentir desamados, colocam a culpa no outro, que não os preenche. No começo, consideram engraçados os pequenos defeitos. Mas, de maneira brusca e inesperada, um dia se decepcionam totalmente e procuram se afastar, cheios de ressentimento.

Gostam de ser bajulados. Querem que todos a seu redor satisfaçam seus desejos. Não admitem ser contrariados. E, quando não conseguem realizar seus desejos, ficam amuados e desprezam os outros, na esperança de que da próxima vez sejam obedecidos. Também querem tudo na hora, como se estivessem num supermercado, onde basta apanhar um produto na prateleira e consumir. O amor precisa de tempo, e os Midas não sabem dar a ele o devido tempo.

O verdadeiro amor só acontece para o Midas quando ele percebe o encanto da espera. Antigamente, quando se desejava comer milho ou qualquer outro vegetal, era preciso planejar, semear, tirar as ervas daninhas e, alguns meses depois, colher e comer. Hoje, temos tudo isso no supermercado. Não é mais preciso esperar que a planta cresça.

Os Midas sofrem muito quando não acham nas prateleiras do supermercado amor enlatado. O amor continua sendo como o milho. Tem de ser cultivado, cuidado e aguardado. Isso não agrada os Midas. Eles querem sempre o prazer imediato.

Nós é que transformamos a semente em árvore simplesmente pela alegria de ver o mundo desabrochar.

Quando o Midas é homem, tende a ter uma mulher que o ama muito, mas que ele não valoriza. Assim, ele usa a companheira como governanta da casa, e, de vez em quando, fornece a ela seus favores sexuais ou arruma uma mulher interesseira, totalmente embevecida por seu poder e dinheiro. Para ele, uma esposa dissimulada é a prova de que todas são fingidas e que o melhor é fugir delas.

A mulher Midas tende a ser extremamente competitiva na relação. Conquista o homem que admira, mas disputa com ele o tempo todo. Nas conversas, quer sempre dar a última palavra; nas festas quer brilhar mais que o marido; na profissão quer ser mais bem-sucedida. Quando ambos são Midas, lutam para evitar que um domine o outro.

Para viver o amor, o Midas precisa aprender a se deixar dominar pelo outro. É a única possibilidade. Amar é ser derrotado pela sensação de intimidade com a pessoa amada. É quando o *eu* mais o *tu* se transforma em *nós*.

Trabalho

Para um Midas, trabalho é tudo. Ele é o tipo de pessoa que se dedica à profissão dezoito, vinte horas por dia, sete dias por semana. Não sai para jantar fora com os amigos, prefere jantar com parceiros de negócios. Não vai ao clube para relaxar, passa o tempo todo pensando em maneiras de ganhar mais dinheiro. Usa toda a sua energia para gerar mais riqueza para si mesmo.

Ganhar dinheiro, para um Midas, é um prazer tão intenso e fugaz quanto a droga para o viciado.

Como o dependente químico, ele também é insaciável e, por isso, nunca está verdadeiramente feliz. Sempre se compara aos outros, e, é claro, sempre haverá alguém mais rico que ele. Daí o desprendimento não ser uma qualidade comum ao Midas.

Ele não compreende a felicidade dos outros, pois não consegue entender que alguém possa ser feliz sem ter a mesma fortuna que ele.

Quando Alexandre, o Grande, partia para sua última conquista, passou por um homem que tomava sol deitado à beira de um rio. Percebeu que aquele homem demonstrava uma paz intensa, havia uma beleza diferente em seu rosto e no seu corpo seminu. Alexandre aproximou-se dele e se identificou:

— Sou Alexandre, o Grande, o homem mais poderoso do mundo. Fiquei tocado com a sua paz e sua beleza. Estou disposto a realizar qualquer desejo seu.

Diógenes, então, respondeu:

— Não tenho nenhum desejo. Tudo está completo.

Alexandre retrucou:

— Não é possível uma pessoa não ter nenhum desejo. Fale que eu lhe darei qualquer coisa que quiser.

E Diógenes completou:

— Na verdade, tenho um desejo. Por favor, saia da frente do sol. Você está me atrapalhando.

Alexandre ficou revoltado com Diógenes porque ele não valorizou sua figura e suas conquistas. Como guerreiro, ele tinha poder de vida ou morte sobre aquele simples homem e com um gesto poderia tirar sua vida. Mas Diógenes disse:

— Para mim não faz diferença viver ou morrer. Das duas maneiras estarei feliz.

Dizem que aquele encontro tocou tão profundamente Alexandre que ele teria se comprometido, depois daquela última guerra, a começar a desfrutar a vida. Infelizmente, morre antes de realizar seu intento.

Filhos

Geralmente, os Midas veem suas crianças como um empecilho para os negócios e a ascensão profissional. Querem tê-los mais para poder exibi-los, e pouco se dedicam a eles. Por isso seus filhos frequentemente se sentem um peso na vida dos pais.

No fundo, eles não veem utilidade em fazer algo que uma babá pode fazer. Não percebem que a vida não é somente a busca por resultados materiais, mas também a fonte de pequenos prazeres. Por querer somente as coisas úteis, perdem muito da beleza da vida. Afinal, que lucro pode trazer uma borboleta voando sobre uma flor? Apenas a beleza de seu voo. E não é preciso mais.

Os Midas não percebem que há coisas na vida que foram feitas apenas para dar prazer.

Um indivíduo estava atravessando uma fase de muito trabalho na empresa. Chegava a passar até quinze horas por dia no escritório, saindo de lá de madrugada. Um dia chegou em casa e ligou a televisão para assistir ao noticiário. Dali a pouco seu filho aproximou-se e pediu:

— Pai, vamos brincar?

E o pai, sem tirar os olhos da televisão, disse:

— Filho, eu estou ocupado, você não está vendo? Vá brincar com seu irmão.

Obediente, o menino saiu.

Passados alguns minutos, ele voltou e perguntou:

— Pai, quanto você ganha por hora de trabalho?

Chateado, o pai respondeu:

— Filho! Já não falei que estou ocupado, que estou assistindo ao jornal? Vá brincar com seu irmão, converse com sua mãe, não me dê trabalho porque agora eu estou ocupado.

O menino saiu e, depois de um tempo, voltou e perguntou novamente:

— Pai, quanto você ganha por hora de trabalho?

Desta vez, o pai explodiu:

— Você não tem educação? Não tem respeito por seu pai, que trabalhou o dia inteiro e está cansado? Cale a boca! Vai dormir hoje sem jantar, e fique quieto senão vou lhe dar uma surra!

Apavorado, o menino subiu para o quarto. Quando terminou o telejornal, o pai se deu conta do quanto tinha sido injusto com o filho, que, afinal, só queria brincar e ficar com ele. Correu até o quarto, abriu a porta e viu que o filho já estava dormindo. Aproximou-se da cama e notou a fronha ainda molhada pelas lágrimas do menino. Sentiu o coração apertar. Tocou no garoto e disse:

— Filho! Acorde para a gente jantar.

O menino acordou assustado e pediu:

— Pai, por favor, não me bata. Eu vim dormir como você mandou.

Aquela resposta apertou ainda mais o coração do pai, que, comovido, disse:

— Filho, desculpe o papai. Eu estou com muitos problemas no trabalho e acabei descontando em você, que não tem nada a ver com isso. Eu tenho de arrumar tempo para a gente brincar, ficar mais tempo juntos, aproveitar mais a vida. Vamos descer e jantar juntos, quero conversar com você e saber como foi o seu dia.

E o menino, feliz, perguntou:

— Pai, quanto é que você ganha por uma hora de trabalho?

Ele pensou, fez as contas e respondeu:

— Olha, filho, eu ganho 10 reais por hora de trabalho.

O menino encarou o pai e pediu:

— Pai, me empresta 3 reais?

Com aquela culpa toda, o pai pegou três reais e deu para o filho. O menino, então, tirou do bolso da bermuda um monte de notas e moedas, empilhou-as na mão e estendeu-as ao pai, dizendo:

— Pai, aqui tem 10 reais, você vende uma hora do seu tempo para a gente brincar junto?

Amigos

O Midas sofre com a solidão, com sua incapacidade de comunicação. Tem dificuldade de compartilhar seus sentimentos. Para ele, os amigos são aquelas pessoas de seu círculo de negócios que lhe abrem as portas para ele ganhar mais dinheiro. A tendência é que o Midas seja visto como interesseiro, dominador e, ao mesmo tempo, submisso aos que têm mais poder que ele.

Como os Midas tendem a procurar utilidade nos outros, fazem amizade pensando nos benefícios que podem conseguir: "Puxa, ela é diretora do banco, vai me arrumar um bom negócio.

Vou convidá-la para almoçar." As conversas dos Midas são superficiais porque eles têm dificuldade de falar daquilo que, na realidade, é o mais importante: seus sentimentos, sua alma e sua vida.

Não sabem amar de verdade porque querem controlar tudo e todos. Até a maneira de o outro falar, agir ou pensar! Querem que tudo seja feito à sua maneira. Não percebem que não existe somente um jeito de ser, um modo certo para fazer as coisas, que cada pessoa tem a sua riqueza. Estão sempre maximizando seus ganhos e minimizando suas perdas. Se puderem, ficam com tudo, sem deixar nada para ninguém.

Estão sempre dando ordens. Querem parecer lógicos e racionais e exigem ser seguidos pelos outros. Não conseguem entender como certas pessoas se deixam levar pelos sentimentos. Por querer vencer sempre, acabam utilizando quem está ao seu redor como instrumentos.

A transformação do Midas

A admiração que as pessoas demonstram por um Midas o incentiva a manter o mesmo estilo de vida e a continuar infeliz. Geralmente, ele apenas enxerga a saída para sua angústia quando passa por uma crise profunda em sua vida, como um infarto, uma separação indesejada ou um problema grave com um filho. Somente assim decide fazer uma análise e considera mudar. Acontece que, na maioria das vezes, trata-se de uma reflexão superficial. Passado o susto, ele se recupera e volta a ter as atitudes de sempre.

A verdadeira transformação ocorre quando ele consegue, de fato, interromper esse círculo vicioso e mudar seu estilo de vida. A passagem de um Midas do vazio para a felicidade é semelhante à do gênio que se transforma em sábio; da lagarta que se transforma em borboleta. Para isso, porém, ele terá de aceitar o fim do superstar e passar a experimentar a totalidade de sua dimensão como ser humano.

Alguns detalhes começam a indicar que a mudança está ocorrendo: os amigos da infância reaparecem, seus ídolos deixam de ser os grandes estrategistas milionários e passam a ser os sábios; ele sente vontade de conversar com os pais e a avó para voltar à infância, deixa de lado os livros de negócios e começa a ler sobre espiritualidade e relacionamentos; abandona a vida social agitada para ficar mais com filhos e amigos; sua sensibilidade aumenta. Nesse período, surge uma grande tristeza por não ter cuidado bem de si mesmo.

Geralmente os Midas procuram esquecer o passado, pois estão sempre preocupados em conquistar o futuro. Até que percebem que a árvore ficou oca. Então, sentem falta de profundidade no seu jeito de ser e começam a procurar suas origens. Descobrem que as maiores árvores são as que têm as raízes mais profundas.

O sucesso de uma terapia é alcançado quando o indivíduo fica em paz com seus pais, o que não quer dizer aceitar tudo o que fazem, mas entender a maneira de ser deles.

Você vive melhor quando está em paz com seus antepassados; quando entende a lógica que existe por trás de seus atos. Se um homem guarda mágoa de sua mãe é bem provável que tenha problemas com a esposa. Se uma mulher guarda ressentimentos da mãe, pode ser que não viva bem consigo mesma.

Isso não significa que se tenha de viver em função deles. A compreensão das pessoas e dos fatos traz a verdadeira liberdade, pois a culpa é uma dependência disfarçada de amor.

É importante entender que o sofrimento quase sempre é uma opção individual. Sofrer, ou não, é uma decisão de cada pessoa e de mais ninguém!

Um milagre acontece quando você consegue olhar seus pais e dizer:

— Mãe, quero agradecer por tudo o que você fez por mim. Pelas noites que não dormiu direito, pelas viagens que deixou de aproveitar, por todo o sacrifício que fez para me ajudar a ser quem eu sou.

— Pai, obrigado por ter exigido de mim, pelos olhares de orgulho, por ter me orientado nos estudos e, principalmente, obrigado por todos os sonhos que você teve comigo.

Essa é uma tarefa que exige muito afeto e desprendimento, mas gera uma paz interior capaz de soltar as amarras da dependência que a culpa cria entre as pessoas. Fazer as pazes com o passado é fundamental para estar em paz consigo mesmo.

Em sua infância, seus pais, avós, tios, professores e outros educadores construíram o jardim onde você desabrochou. Ainda que você ache que não foi bem educado, que foi magoado pelos pais, que sofreu por ter passado necessidades, tenha certeza de que, na época, eles fizeram o que julgaram ser o melhor para você. E não funcionou? Lógico que sim. Hoje você não é uma pessoa generosa, batalhadora, honesta e de bom caráter?

Há pessoas que se esforçam para negar a infância pobre. Não se dispõem a rever velhos amigos nem lugares do passado. Desejam apagar da memória aquele tempo difícil.

O problema é que destruir o passado é o mesmo que abandonar uma parte de si próprio.

É importante ter um carinho especial pela criança que existe dentro de cada um de nós. Costumamos nos esquecer dessa criança durante os anos em que vivemos lutando para conquistar nossos objetivos. Mas, para estar em paz, é importante fazer com que ela se sinta amada, protegida e cuidada.

Quando não cuidamos bem dessa criança forma-se um vazio dentro de nós. Parece que está sempre faltando algo. Por isso, em meio a tantas riquezas, uma pessoa se sente pobre e, no meio de muito amor, sente-se mal-amada. A criança interior continua pedindo sua atenção.

A transformação do Midas é dolorida. Ele precisa de uma força interior imensa para encontrar a tranquilidade durante essa passagem. É uma fase turbulenta, pois ele tem muito medo de perder tudo o que conquistou. Chega a passar noites sem dormir, até descobrir que insônia não é falta de sono, mas um tempo para conversar consigo mesmo.

Nessa fase de transição, ele sente muita falta das luzes do sucesso. É semelhante ao sofrimento de um alcoólatra quando para de beber. Precisa ter coragem de dar um salto para atingir o outro lado do rio. Mas é importante que ele não desista. O salto vale a pena, pois os maiores tesouros não precisam ser perseguidos, eles estão aí, no sorriso da pessoa amada, no olhar de um sobrinho ou na simplicidade de uma caminhada...

Nesse salto aparecem alguns sinais de que o processo será definitivo. Então, os Midas começam a descobrir um novo sentido para a vida, aprendem a desfrutar as amizades, aceitam seus sentimentos e desenvolvem a capacidade de saborear os pequenos detalhes da vida. Sua transformação exige a travessia das quatro pontes da sabedoria: sentido de vida, silêncio, sentimentos e simplicidade.

Primeira ponte: sentido de vida

Como disse Osho: "Você já existia antes de nascer e continuará a existir depois do que chamam morte." Por isso, não fique recolhendo migalhas. A eternidade existe para criarmos as riquezas que valem a pena.

Quando alguém consegue ver o todo, sua vida adquire um sentido maior do que "conquistar". "Ter" é substituído por "assumir". Suas ações passam a ser orientadas por sua alma. Nesse momento aparecem as perguntas "por que" e "para que" fazer algo, e não se aceitam convites simplesmente porque eles dão mais *status* ou poder.

Então, no momento de uma grande conquista, conscientizamo-nos do infinito e perguntamos: qual é o significado dessa conquista para nós mesmos, para nosso cônjuge, para a família, para as pessoas que amamos e para a sociedade como um todo?

Quando direciona seus sentidos para a existência, o Midas passa de colecionador de riquezas materiais a colecionador de conquistas espirituais e afetivas. Deixa de se orientar por objetivos e passa a se mover por afeto. Deixa de procurar o caminho mais rápido para buscar aquele que oferece mais realização. E, então, ele encontra mais prazer no ato de viver.

Segunda ponte: silêncio

A vida barulhenta é trocada pela voz de seu coração. Quando as palavras se calam no seu interior, você experimenta a sensação do divino. As noites agitadas de quem não quer perder nada são substituídas por encontros mais tranquilos dentro da sua alma.

Viver o silêncio de seu ser consiste em abandonar os desejos, pensamentos, fantasias, tudo o que guardou dentro de si, e deixar um espaço para sua alma se expressar sutilmente.

Seu interior tem muito mais a dizer que todo o noticiário dos jornais. Seu ser tem mais força que todas as imagens das novelas. No silêncio, você não tem mais nada para provar.

Em certa cidade, havia um sacerdote de reputação ilibada, respeitado por todos. Um dia, soube-se que uma moça muito bonita, que morava perto da igreja, estava grávida. No início, a moça não quis revelar quem era o pai, mas depois de muita insistência contou que era o sacerdote. Os pais da moça, furiosos, chamaram-no de hipócrita, e ele se limitou a responder:

— É mesmo?

Quando a criança nasceu, foi entregue a ele, que, a essa altura, já havia perdido a reputação, o que não parecia perturbá-lo. O sacerdote cuidou da criança com todo o carinho. Um ano mais tarde, a mãe da criança contou seu segredo: o verdadeiro pai era um jovem que trabalhava na praça da igreja, agora eles queriam se casar e ter a criança de volta.

O pai e a mãe da moça procuraram o sacerdote e contaram o ocorrido. Desculparam-se muito, imploraram seu perdão e pediram a criança de volta.

Ao entregar a criança, com boa vontade, o sacerdote disse:

— Estejam em paz com vocês, pois a compreensão virá do silêncio de sua alma.

Terceira ponte: sentimento

Amor é muito mais que quatro letras reunidas. Sentir é mais importante que todas as análises. Progressivamente, seu hábito de julgar as pessoas será substituído por uma capacidade de experimentar as próprias sensações e as dos outros. Sua bondade fará com que as interpretações habituais deem lugar à compreensão. Então, começará a maior de todas as aventuras.

Na Índia, os mestres dizem que a estrada mais longa que existe é a que vai do cérebro ao coração. Somente a sabedoria pode fazer as pessoas descerem do pedestal de super-homem para tornar-se gente de verdade. A vaidade se transforma em simplicidade.

O Midas começa a abrir as portas de seus sentimentos e permite que os outros descubram sua fragilidade. Quando ele aprende a falar de suas feridas e a ter humildade para assumir seus sentimentos pode receber o carinho que lhe faltou na infância.

As feridas da alma nunca são curadas com sexo, comida ou poder, e sim com carinho, atenção, paz.

Quando você se permite pedir ajuda a alguém, está a caminho da felicidade. Ao perguntar ao filho como pode viver melhor, ao ouvir e valorizar a voz da pessoa amada, então, começa a ser feliz.

A bondade é fundamental para a felicidade. A generosidade é fruto da capacidade de sermos ricos de espírito. O indivíduo mesquinho é o ser mais pobre que existe, pois cobra até os centavos da vida. Sua vida é uma infindável conta bancária, com créditos e débitos. O bondoso, ao contrário, tem sabedoria para entender que existem atos que precisam ser perdoados, principalmente as dívidas do coração. Não perca a oportunidade de ser bondoso consigo mesmo.

Não perca também a chance de ser bom com os outros. Muitas vezes, as pessoas não se dão conta das oportunidades que têm de dar amor. Esperam pela chance de criticar, mas não demonstram nenhuma expectativa de dar amor e dizer coisas boas aos semelhantes. É importante deixar que as pessoas percebam a riqueza de nosso interior.

A rosa não escolhe para quem vai exalar seu perfume. Não seja simpático só com seu chefe, pai, filho, cônjuge, amigo. Seja generoso com todos!

Você faria algo diferente se descobrisse que hoje é seu último dia de vida? O quê? Pediria desculpas a alguém? Declararia seu amor? Agradeceria a alguém? Faria uma dessas coisas? Então, o que você está esperando para fazer isso já? Está esperando descobrir que hoje é seu último dia de vida? Não perca essa oportunidade, transforme-se agora.

Um garoto de 11 anos com leucemia precisou fazer um tratamento rigoroso de quimioterapia e radioterapia. À medida que o tratamento avançava, ele foi perdendo os cabelos, ficando magro e abatido. Depois de algumas semanas, começou a recuperar-se até que chegou a hora de voltar à escola. Porém, seus pais perguntavam-se como seria a reação dos colegas quando ele aparecesse careca e magro. "Será que a turma vai fazer gozação?", pensavam os pais, preocupados. Os professores e o próprio garoto estavam angustiados.

Mas aquele dia reservava a todos uma surpresa muito agradável. Quando chegou à sala de aula percebeu que todos os rapazes haviam raspado seus cabelos, em manifestação do amor que sentiam por ele.

Existem pessoas que têm a mania de olhar para os outros e ver um cartão de crédito (sem limites, é claro). Estão mais interessadas em saber como o outro poderá ajudá-las a atingir suas metas – principalmente as materiais – do que em tornar-se amigas do ser humano que está à sua frente. No mundo dos negócios, é comum as pessoas se relacionarem visando interesses, mesmo quando estão em eventos especiais. Mas na vida pessoal não precisa nem deve ser assim.

As pessoas estão se esquecendo do quanto é gostoso sair só para se divertir, conhecer gente, trocar afetos e fazer amizades.

Estamos nos esquecendo de ajudar os outros – e de pedir ajuda também, por que não? É importante redescobrir o prazer de fazer os outros felizes. Meu pai me dizia sempre uma frase que nunca mais esqueci: "Filho, nunca perca a chance de ser legal."

Muitas pessoas perdem a chance de ser boas. Quando era criança, eu gostava de acompanhar meu pai quando ele ia fechar suas farmácias aos domingos, na hora do almoço. Ele sempre andava com um maço de notas no bolso. E, em silêncio, quase escondido, aproximava-se de cada funcionário e lhe dava uma dessas notas. Essa atitude chamava minha atenção e certo dia perguntei:

— Pai, por que você dá dinheiro todos os domingos para o pessoal que trabalha nas farmácias? Você já não paga o salário deles?

Meu pai respondeu:

— Filho, as pessoas que trabalham para a gente recebem o salário no final do mês e o entregam para seus pais. Quando chega o domingo, elas querem ir ao cinema ou ao circo, mas não têm dinheiro. Sei quanto é triste querer ir ao cinema e não ter dinheiro. Pelo menos quem trabalha para nós precisa poder ir ao cinema no domingo à tarde!

É bonito sentir prazer em proporcionar felicidade aos outros. Quando seu sucesso implica sucesso para os outros, todos ficam felizes com seu êxito. Mas, quando significa derrota para os demais, estes sentirão inveja de você. É triste não ter amigos para comemorar as vitórias.

Quarta ponte: simplicidade

O Midas, em seu processo de humanização, começa a avaliar suas reais necessidades. Deixa de ir a lugares e fazer compras somente para estar na moda. Começa a investir seu tempo em atividades que realmente tenham significado para sua vida.

Quando faz uma revolução em sua vida, o Midas vende a casa

de praia – para a qual nunca vai – e passa a ficar em hotéis, com todo o conforto que deseja. Troca o imenso apartamento por outro, mais adequado às suas necessidades. Deixa de correr atrás de um grande negócio para passar as férias em família.

Muitos ao seu redor comentarão que ele está decadente, que não tem mais o mesmo interesse pelos negócios nem o mesmo *glamour*. Mas ele tem consciência de que sua vida agora está no rumo certo. Aprende a desfrutar cada momento da existência. Substitui os pratos picantes, muito temperados, sinal de um paladar que tem ânsia de adrenalina, por sabores mais sutis.

Quando se deixa conduzir pelas coisas da vida, passa a sentir prazer em observar um luar, curtir a proteção de um abraço, sentar-se à sombra de uma árvore. Mas, principalmente, aprende a saborear o cotidiano. É como aquele arroz com feijão ou o pão com manteiga que comemos todo dia, mas que vão ficando cada vez mais gostosos. O mesmo acontece com o beijo do marido e da esposa que vivem juntos há cinquenta anos e o "bom-dia" de todas as manhãs para o filho. Comida caseira temperada com afeto.

Na simplicidade, aprendemos que reconhecer um erro não nos diminui, mas nos engrandece, e que as pessoas não existem para nos admirar, mas para compartilhar conosco a beleza da existência.

Se você se deu conta de que viver como Midas tem destruído sua felicidade, leia meu livro *Heróis de verdade*, no qual poderá aprender como amar mais e aumentar sua alegria de viver.

Abandone os mitos do passado e crie seu futuro

Somos o que repetidamente fazemos.
A excelência, portanto, não é um feito, mas um hábito.
ARISTÓTELES

Os caminhos existem, mas não basta apenas conhecê-los: um dia você terá de percorrê-los.

Você já deve ter percebido que todos temos dentro de nós um pouco de Midas, de Dâmocles e de Sísifo. Porque, de uma forma ou de outra, nos faltou um tanto de amor, de confiança e de força ao longo da vida.

Para você se conhecer um pouco melhor e modificar o que é necessário, proponho o teste a seguir. Ele não tem a pretensão de fornecer um diagnóstico psicológico, mas apenas entregar pistas de como você se posiciona na vida. É evidente que os resultados não são exatos, pois você é um ser humano e é complexo demais para ser classificado simplesmente por números. Mas essa análise permite ter uma ideia de onde você está e o que precisa fazer para tornar-se mais feliz.

Se você desejar informações aprofundadas, sugiro o acompanhamento de profissionais da área de psicologia.

A partir do resultado, você poderá conseguir entender mais de suas ações e reações e partir para uma mudança consistente.

Teste: Os três mitos da infelicidade

Responda às questões propostas com o máximo de sinceridade. Quanto mais sincero você for ao dar as respostas, mais verdadeiro será o resultado do teste.

Bloco A

Afirmativa	Sim	Não
Estou constantemente preocupado com alguma coisa.		
Não importa quanto dinheiro eu tenha, penso que posso perder tudo.		
Fico muito ansioso pensando que posso ser demitido de meu emprego por algum motivo.		
Tenho muito receio de ser traído ou abandonado por minha companheira.		
Perco o sono pensando que minha empresa pode ir à falência.		
Sinto que se eu cometer qualquer deslize meus clientes me abandonarão e irão para o concorrente.		
Sempre acho que posso ter algum sintoma que signifique alguma doença séria.		

Bloco A

Afirmativa	Sim	Não
Preocupo-me muito com meus filhos adolescentes, pois eles podem se tornar viciados em drogas.		
Odeio ser pego de surpresa para reuniões de trabalho e por isso preciso saber tudo o que vai acontecer.		
Eu não consigo confiar plenamente nas pessoas. Desconfio de tudo e de todos.		
Marque aqui quantos "sim" você assinalou		

Bloco B

Afirmativa	Sim	Não
Sofro com ressentimentos e tristeza quando penso em meus planos passados que não deram certo.		
Fico chateado em ver que não consigo ter dinheiro para realizar meus projetos de vida.		
Perco prazos constantemente.		
Sempre tenho de explicar por que não realizei minhas promessas no trabalho.		
Estou sempre atrasado para meus compromissos.		
Quando alguma coisa não está dando certo, deixo de lado e parto para outra.		
As pessoas vivem sempre reclamando que não cumpro minhas promessas.		
Frequentemente, sinto-me injustiçado porque as pessoas não valorizam meu esforço.		
Estou sempre com dificuldades financeiras.		
Tenho o hábito de adiar as coisas.		
Marque aqui quantos "sim" você assinalou		

Bloco C

Afirmativa	Sim	Não
Consigo fazer meus projetos serem lucrativos.		
Vivo sempre sobrecarregado.		
Meu casamento vai bem, mas vivo tão ocupado que não tenho tempo de curtir o amor por minha família.		
Não sei descansar nem curtir a vida.		
Acho dormir e tirar férias uma perda de tempo.		
Meu objetivo é sempre vencer.		
Apesar do meu sucesso profissional e financeiro, e de ter tanta gente ao meu redor, costumo sentir solidão.		
Penso que as pessoas com as quais convivo não dão valor ao que eu ofereço a elas e isso me deixa infeliz.		
Estou sempre superocupado, sem tempo para mim.		
As pessoas me dão muito trabalho; preferiria não ter de me relacionar.		
MARQUE AQUI QUANTOS "SIM" VOCÊ ASSINALOU		

Resultado

No gráfico a seguir, marque o Total do Bloco A na Coluna A, o Total do Bloco B na Coluna B, e o Total do Bloco C na Coluna C.

	DÂMOCLES	SÍSIFO	MIDAS
10			
9			
8			
7			
6			
5			
4			
3			
2			
1			
	COLUNA A	COLUNA B	COLUNA C

Essa é uma representação visual de como você assume o papel de cada um dos mitos da infelicidade. Quanto maior for a sua pontuação em cada um dos mitos, tanto mais você precisará trabalhar nos aspectos relativos a ele para libertar-se da infelicidade.

Uma das três características pode se sobressair mais que as outras. Mas elas também podem aparecer juntas na sua personalidade.

Essa análise o ajudará a se compreender e a entender sua vida de uma maneira mais profunda. Então, faça planos para abandonar o personagem que está afastando você da felicidade e poder ser intensamente você mesmo.

Lembre-se de que você é o chocolate, não a embalagem. Talvez a embalagem seja muito bonita, mas não tem gosto. Seu sabor, ao contrário, está na essência. Converse com as pessoas que o amam, peça-lhes ajuda para que, cada vez mais, você possa se desprender do velho e assumir um novo perfil.

Quando você nasceu, Deus não rogou uma praga para você ser tímido, distraído ou confuso. Ele lhe proporcionou todas as ferramentas para você completar a criação Dele.

Você pode escolher a pessoa que quer se tornar. Todos os dias, você decide se continua do jeito que é ou muda. A grande glória do ser humano é poder participar de sua autocriação.

Mas não fique preocupado, tenso. Não pense em seu personagem como se ele fosse uma doença grave, incurável. Pelo contrário! Você tem a chance, a qualquer momento, de deixar de atuar dessa maneira.

Não tenha pressa. Analise-se sem ansiedade, mude aos poucos, entenda as situações. Até que um dia acontecerá uma surpresa, e você perceberá que não sente mais nenhuma atração pelo personagem do passado. Você irá se conscientizar, então, de que é o dono da sua vida.

Acredite que você pode ser feliz! Você pode mudar a sua vida!
Você é a pessoa que escolhe ser.
FRANK NATALE

CRIE UM VOCÊ MELHOR

Você precisa perceber que, se estiver na estrada errada, deve parar e procurar a certa. Nunca vai chegar ao seu verdadeiro destino se continuar a seguir pelo caminho errado. Se está em São Paulo e quer ir ao Rio de Janeiro, mas toma a estrada para Porto Alegre, vai acabar no lugar errado.

Por exemplo: alguém que tenha o perfil de Sísifo procura preencher a falta de resultados iniciando sempre um novo projeto. Não dá o tempo de ter resultado em uma profissão e começa uma nova. Está sempre começando alguma coisa nova em vez de completar aquela em que está trabalhando. Ele procura preencher a falta de afeto com aventuras sexuais. Em vez de perceber que está no caminho errado, credita seu vazio à pouca quantidade de relacionamentos. "Sou infeliz porque não conquistei ainda o número de parceiras suficiente", pensa. Mergulha nessa ideia sem entender que essa estrada não o levará à felicidade.

Um Midas se ilude quando se refugia no dinheiro para esconder sua insegurança, pensa que seu problema é não ser suficientemente milionário para viver de maneira mais descontraída. Sai, então, em busca de mais dinheiro, alimentando o círculo vicioso.

Um Dâmocles cerca sua casa de segurança, sem perceber que o medo habita seu coração, e que para essa insegurança não existe grade que resolva. A única segurança eficaz nasce dentro de nós, e não fora.

Quase todo mundo já teve, alguma vez, um forte desejo de comer "alguma coisa salgada". Esse sinal indica uma necessidade física do organismo que tem de ser satisfeita. Se você precisa de comida salgada, não adianta comer doce porque continuará sem se saciar.

Você persegue tantas metas, luta tanto para ser reconhecido e, de repente, percebe que tem saudade de si mesmo. Mas saiba que aquele adolescente cheio de sonhos ainda vive! Muitas das suas angústias nascem do esquecimento de sua vocação. Afinal, como dizem os chineses, o tempo se vinga de quem não cuida bem dele!

Mude neste exato momento. Corra atrás de sua felicidade. Retome o caminho de seu coração. Você pode ter a verdade que quiser, desde que ela o conduza à felicidade!

Um sinal de que precisa mudar sua crença é perceber que ela não está levando você à sua realização. Então, olhe os sinais à beira da estrada; vários deles indicam a necessidade de mudar de rota: frustração, tristeza, mágoas, dificuldades de relacionamento, descontentamento no trabalho e muitos outros. Mas três são fundamentais para despertar sua consciência: saúde, sono e sexo.

- SAÚDE: quem vive doente pode estar somatizando a infelicidade.
- SONO: perturbações do sono são sinais do inconsciente para que você cuide melhor de sua vida.
- SEXO: uma vida sexual insatisfatória, sem prazer, indica necessidade de mudanças.

Esses avisos devem ser seriamente considerados para você aproveitar melhor, e não desperdiçar, sua energia. Em vez de se desgastar, use-a para transformar sua vida. Negar a necessidade de mudanças não elimina o problema.

Quando falta o essencial, é hora de fechar para balanço.

Ao notar que há algo errado na viagem, não se comporte como um míope que, em vez de enxergar os sinais que a vida emite todos os dias, enxerga só o que quer. Ao notar que algo não vai bem, tenha a humildade de perceber o erro, volte atrás sem hesitar e procure sua verdade.

Não tenha medo, vergonha ou orgulho que não o permita admitir que estava errado. Não procure argumentos para provar que tinha razão. Isso apenas fará você continuar andando para o lado oposto de suas vocações. O sentimento de estar no rumo certo de sua felicidade com certeza será maior que qualquer desconforto.

As mudanças se tornam mais fáceis quando o que se passa dentro de você é explicado.

Alguns passos para ser feliz

Lembre-se: a felicidade é um estilo de vida. Se a estrada em que você está caminhando não leva aonde você quer chegar, é momento de encontrar seu verdadeiro caminho. Chegou a hora de transformar sua vida, de sair do cinza e de viver de maneira mais colorida.

Ser feliz não é simplesmente fazer aquilo que as pessoas fazem para se sentir melhor por instantes, como o clássico banho de loja, corte de cabelo ou final de semana na praia. É preciso avançar para além disso.

Não adianta aparar o mato, pois ele crescerá de novo. O importante é arrancar as raízes da infelicidade, e não apenas maquiá-la para que fique mais aceitável, e aprender a plantar o que queremos que cresça naquele novo espaço que ficou aberto.

Proponho os passos a seguir para você acelerar sua caminhada em direção à felicidade.

Passo 1: Saiba o que faz você feliz e busque isso

As pessoas, em geral, querem definir o que é ser feliz, mas muita gente procura a felicidade no lugar errado ou tem pensamentos equivocados.

Grande parte das pessoas tem mania de achar que feliz é aquele que está sempre se divertindo, que vai a baladas, janta em restaurantes sofisticados, tem o carro do ano, vai às festas de celebridades, tem um saldo enorme no banco e um limite quase infinito no cartão de crédito.

Mas será que felicidade é isso? É lógico que coisas como essas podem até contribuir para a felicidade. Mas será que as pessoas conseguem ser felizes somente com isso?

Eu, por exemplo, me sinto muito feliz quando estou com minha família, ou escrevendo um livro e imaginando como isso vai mudar a vida das pessoas que vão ler. Experimento a felicidade também quando estou lendo um livro ou quando estou em um seminário aprendendo alguma coisa, ou ministrando um seminário e ensinando alguma coisa boa para outras pessoas.

A felicidade de uma mãe pode ser ajudar o filho que tem dificuldades financeiras a se formar na faculdade.

Existem diversas maneiras pelas quais as pessoas podem se sentir felizes. São infinitas as opções. Vou dar apenas alguns exemplos.

Ajudar o próximo

Existem pessoas que se sentem felizes ajudando o próximo, fazendo algo por alguém, contribuindo para melhorar a vida de outra pessoa.

Um casal de médicos amigos meus diz que sua maior felicidade acontece quando podem ajudar alguém a se sentir melhor, a ficar curado, a ter esperança de que sua saúde vai melhorar. Eles são felizes quando conseguem contribuir para que as pessoas voltem a ter esperanças de uma vida com mais saúde.

Para mim, quando vejo o livro de um aluno meu na lista dos mais vendidos minha alma se enche de alegria.

Fazer um mergulho existencial

Muitos se sentem felizes quando estão em um mergulho existencial, por exemplo, quando estão fazendo um trabalho de terapia, participando de um grupo de desenvolvimento pessoal, fazendo meditação.

Conheço muita gente, por exemplo, que encontrou a felicidade em grupos de meditação na Índia, aprendendo com os grandes mestres, e que sua felicidade até hoje está ligada ao ato de meditar.

Curtir as pessoas queridas

Há pessoas que são muito ligadas aos seus relacionamentos. A felicidade delas é estar com pessoas queridas.

Seus melhores momentos acontecem quando estão fazendo coisas simples, mas em companhia das pessoas mais importantes do mundo para elas naquele instante, que podem ser tanto familiares – pais, filhos, cônjuge – quanto amigos queridos.

Passo 2: Ame as pessoas do jeito que elas são

A infelicidade, para muitas pessoas, é viver em função de mudar alguém. É o pai que cisma que a filha tem de ser mais calma, é a filha que insiste que a mãe tem de parar de cuidar dos outros; o empresário que luta para o filho trabalhar na empresa da família; é o marido que briga para a esposa não ser tão ligada à família dela, ou a esposa que fica nervosa porque o marido não gosta de almoçar com seus pais todos os finais de semana.

Cada um tem sua história, crenças e pensamentos que estão diretamente ligados à sua criação. Se a padronização das pessoas fosse possível, o relacionamento entre elas até poderia ser mais fácil, mas com certeza seria mais pobre, porque a riqueza nasce da diversidade.

Geralmente, procuramos enquadrar os outros em definições compartimentadas, estanques, fazendo afirmações como:

- "Fulano é inteligente."
- "Sicrano é burro."
- "Beltrano é trabalhador."
- "Fulana é preguiçosa."

Essa atitude põe a perder a beleza e a riqueza do relacionamento entre as pessoas porque não se consegue admirar o outro em sua plenitude pelo que ele simplesmente é.

Cada um tem um ritmo e um modo de ser. Existem aqueles para os quais basta dizer uma frase que as coisas funcionam bem. Outros precisam de um tempo maior, de uma abordagem diferente, de um tratamento apropriado.

As pessoas são como são, por suas próprias razões, e não para magoar os outros. Nossa tendência é esperar respostas padronizadas, desejando que elas se relacionem conosco da maneira como gostaríamos. Se não se comportam segundo nossas expectativas, julgamos que estão agindo daquela maneira para nos magoar, quando, na verdade, esse é apenas o jeito de ser de cada uma.

Às vezes, um pai empresário tem mais facilidade de se relacionar com o filho que gosta mais de negócios. O oposto ocorre com o filho que demonstra especial talento para as artes quando o pai não tem nenhum vínculo com essa área.

O amor de um casal não deve anular a individualidade de cada parceiro. Os cônjuges precisam respeitar o jeito de ser um do outro e parar de acreditar que o parceiro age por maldade, por querer fazer algo diferente do que se gostaria.

Muitas vezes, quando o outro não nos dá aquilo que desejamos, e da maneira que queremos, temos a sensação de que fomos traídos. Há também quem se machuque quando ama por não perceber a verdadeira essência do outro.

Nós precisamos amar e aceitar as pessoas do jeito que elas são!

Ao longo da vida, aprendi que existem diversos caminhos para chegar ao mesmo lugar. Não existe um caminho ideal para todo mundo. Isso depende de onde se está. Por isso sofremos quando pretendemos ser donos da verdade. Achamos que nosso caminho é o único possível, inclusive para os outros. O caminho que para um é mais curto e agradável para outro não tem lógica, é demorado e cansativo, mas também oferece aprendizado.

Em vez de tentar mudar a maneira de ser dos outros, empregue sua energia para entender e mudar sua própria maneira de ser. Quanto ao outro, você pode ter basicamente três tipos de atitudes:

1. Compreendê-lo e buscar crescer juntos.
2. Insistir em mudá-lo para que fique como você quer.
3. Desistir dessa relação e partir para outra.

Muitos pais, filhos, professores, terapeutas, empresários e religiosos sofrem por tentar impor suas verdades sem procurar compreender as pessoas. Dentro das organizações, projetos baseados em "novas" verdades, impostas sobre as crenças essenciais das pessoas, fracassam justamente porque os colaboradores recusam qualquer mudança que não considerem sua visão pessoal.

São comuns processos de convencimento que não levam em conta as verdades dos colaboradores. Não podemos esquecer que a transformação nasce dentro da própria pessoa, e não de fora. As pessoas mudam quando se comprometem, e não porque alguém impõe algo ou as critica, e isso exige, como primeira condição, que elas próprias tenham o desejo de transformação e o compromisso com a mudança.

Um alcoólatra não deixará de sê-lo porque a bebida está destruindo seu emprego, seu casamento, sua família. Ele vai mudar somente no dia em que se comprometer consigo mesmo. Por mais que você insista ou queira que ele se modifique.

Construa sua felicidade desfazendo a dependência que procura desenvolver nos outros. Se você for feliz, pelo menos o outro terá um modelo para se inspirar quando resolver mudar.

Passo 3: Ajude as pessoas a serem felizes

Fazer os outros felizes é um atalho para ser feliz. Pesquisas científicas mostram que ajudar os outros produz em nosso cérebro reações que nos fazem sentir muito bem.

É claro que não adianta querer assumir a responsabilidade pela mudança dos outros, ou pela felicidade deles. Essa é uma decisão que cabe somente à própria pessoa. Mas sempre é possível contagiar alguém com sua felicidade e inspirá-la a procurar também ser mais feliz.

Qualquer pessoa pode dar algo a outra, desde um simples sorriso até aquela "mãozinha" para resolver alguma dificuldade.

Todos podem fazer algo pelo próximo e oferecer o que sabem, o que são ou o que têm. Até quem acha que não pode dar nada de material tem seu próprio tempo e atenção para oferecer.

É preciso inverter a tendência ao individualismo, ao egoísmo e à desumanidade que reina na sociedade. É necessário dar mais de nós mesmos aos outros para abrir as portas de uma vida melhor.

Ao estender a mão para o outro e compartilhar com ele boas coisas, atitudes e sentimentos, uma dose extra de felicidade é criada para ambos, e isso tende a se propagar, porque tanto a gentileza como a felicidade são contagiosas.

Não é difícil compartilhar. Atos simples podem ajudar a tornar a vida dos outros melhor:

- SORRIA E SEJA SIMPÁTICO. O sorriso é a expressão de alegria e não há quem não reaja positivamente diante de um autêntico sorriso.
- ESTEJA DISPONÍVEL PARA AJUDAR. Tenha como sua missão deixar o mundo melhor com sua passagem por aqui. Estenda sua mão e faça a sua parte na história.
- RESERVE UM POUCO DE SEU TEMPO PARA ENSINAR O QUE VOCÊ SABE A ALGUÉM. O conhecimento ganha sentido quando é passado adiante.
- DOE ALGUMA COISA QUE VOCÊ NÃO USA, PASSE PARA ALGUÉM QUE PODE DAR MELHOR UTILIDADE QUE VOCÊ. Com certeza, estará fazendo a energia fluir no universo e abrindo espaço para que novas coisas venham para sua vida.
- CONSOLE ALGUÉM QUE ESTEJA PASSANDO POR UM MOMENTO DIFÍCIL. Quando a tristeza ou a preocupação tomam conta de nosso coração, uma simples palavra de apoio pode fazer milagres.
- SEJA UM BOM OUVINTE. Por vezes, tudo o que alguém quer e precisa é de um ouvido disposto.

- **Agradeça, elogie, considere.** Não custa nada fazer alguém se sentir relevante para o mundo.

Ajudar as pessoas a serem felizes é uma demonstração de amor e humanidade. É como diz o ditado: "Sempre fica um pouco de perfume nas mãos de quem oferece flores."

Passo 4: Realize seus sonhos

Viver é a arte de realizar sonhos.

Dentro do coração humano sempre existiu uma força interior que lhe permite sonhar. Ícaro, Júlio Verne, Neil Armstrong são exemplos. O homem tem uma grande capacidade de imaginar e realizar suas maiores obras. Não somente obras que entram para a história, como a primeira nave a pousar na Lua, ou uma cirurgia delicada de um feto dentro da barriga da mãe, mas também sonhos simples, porém com a mesma grandeza, como o dos pais que querem ver o filho formado, o do advogado que quer fazer justiça, o do médico que deseja curar e aliviar a dor de seu paciente, ou o dos recém-casados que sonham viver uma vida a dois repleta de amor.

A felicidade é feita de pequenas pérolas que você cultiva a cada dia, a cada hora. Portanto, desenvolva hábitos que criem mais alegria em sua vida.

Minha mãe costumava dizer para suas amigas que eu seria médico quando crescesse. Elas ficavam chocadas com a ambição dela, pois, nessa época, morávamos em um bairro muito pobre em São Vicente, cidade do litoral do Estado de São Paulo. As amigas de minha mãe procuravam trazê-la para a realidade:

— Olhe, de onde você veio e de onde nós viemos é impossível sair algum médico. Se o Beto for dono de farmácia, como o pai, já estará muito bom.

Minha mãe respondia com muita confiança:

— Não importa de onde venho nem onde estou. O que vale é aonde eu quero chegar.

Não importa de onde você vem nem como está. O que vai definir sua vida será sua capacidade de realizar seus sonhos!

Será que é preciso abrir mão de tudo o que fazemos, para termos tempo de ser feliz?

Não. É possível às pessoas realizar todos os seus sonhos sem tanto sofrimento e criar um estilo de vida em que predomine o alto-astral.

O que conta não é tanto o que você faz, mas como você procura realizar suas metas. É isso que vai determinar sua qualidade de vida.

Quando o indivíduo tem compromisso com sua essência, a vida não se torna um fardo pesado de carregar.

A maioria dos terapeutas afirma que as pessoas não costumam mergulhar dentro de si porque têm medo de encontrar um mundo de sombras, inveja, ressentimentos. Minha opinião é radicalmente oposta.

Na verdade, as pessoas têm medo de olhar para dentro de si e encontrar beleza, luz e força. Muitas têm medo de ir até o tesouro escondido que há dentro delas e conferir suas riquezas. A vida das pessoas é a história de príncipes vivendo como mendigos.

Mas, como diz o ditado popular, "quem nasce rei não perde a majestade", por isso, um dia, inevitavelmente, todos tomam consciência de sua luz interior.

Quando as pessoas descobrem a beleza que carregam na alma, logo se dão conta das infinitas possibilidades de transformação que podem realizar em sua vida. Ao olhar para dentro de si e descobrir sua força, deixam de viver como escravas e imediatamente assumem sua grandeza, abrindo a porta da gaiola em que vivem e voando por todo o universo.

Não tenha medo de ser você. Talvez os outros digam que você é egoísta, que só pensa em si mesmo, que antigamente fazia tudo para agradar e que agora mudou. Paciência. Chegou a hora de assumir o comando de sua vida.

É perfeitamente possível ganhar muito dinheiro e construir uma família feliz. Ter uma empresa lucrativa, na qual todos se sintam felizes de trabalhar. Ter um casamento feliz e criar uma vida profissional gratificante. Tudo isso é possível quando se tem fé na existência.

Na Índia, acredita-se que Deus pronuncia apenas a palavra "sim". Na verdade, Ele não diz sim para o que as pessoas pedem, mas para aquilo em que elas acreditam. Se você não acredita na felicidade, Ele apenas pode ajudá-lo a ver que tem razão.

Preste atenção, portanto, às suas crenças, pois elas irão se concretizar.

Em um mundo altamente competitivo, precisamos ser competentes, e muito. Mas também devemos saber que nossa maior missão nessa viagem pelo planeta é ser felizes e criar oportunidade para que os outros também sejam.

A primeira transformação necessária para que ocorra a felicidade é passar a acreditar na possibilidade de um mundo no qual todos possam se realizar. Empresas cujos acionistas e colaboradores sintam que sua participação vale a pena. Casamentos em que ninguém precise se anular para que os dois continuem juntos. E, principalmente, um mundo em que cada pessoa seja respeitada por sua maneira de ser.

Talvez você considere isso uma utopia, mas esse mundo

verdadeiramente digno dos seres humanos apenas vai acontecer quando acreditarmos e trabalharmos por ele.

A maior parte de nossos sofrimentos provém de nossas crenças, da maneira como achamos que a vida será resolvida. Simplesmente não percebemos que, com a consciência, podemos despertar de nossos pesadelos e começar a viver. Acorde! Existe muito mais para ser vivido do que o sono nos permite ver.

É preciso saber lutar como um leão, mas lutar por sonhos que valham a pena.

- LUTAR PARA SER ADMIRADO PELOS OUTROS É TOLICE. Realize seus sonhos com a naturalidade de um rio que sabe por onde corre, e não para que alguém o aplauda.
- LUTAR PARA MIMAR OS FILHOS É OUTRA TOLICE. Ajude-os a acreditar em si próprios e liberte-os de sua dependência.
- LUTAR PARA QUE OS PAIS REALIZEM SEUS DESEJOS É PERDA DE TEMPO. Seus pais já fizeram a parte deles. Agora é com você.
- LUTAR PARA SUBJUGAR O CÔNJUGE TAMBÉM NÃO VALE A PENA. Onde impera o medo, o amor é inócuo.
- LUTAR PARA QUE SEU ANTIGO AMOR SE ARREPENDA DA SEPARAÇÃO E VOLTE PARA VOCÊ TAMPOUCO DÁ RESULTADO.

Liberte seu coração e deixe que ele construa seu futuro.

Lutar para que os outros tenham pena de você também é inútil. Você tem grandeza suficiente para dispensar a compaixão.

Quando, no final da vida, as pessoas percebem que lutaram por algo sem valor, o arrependimento é inevitável. Lutar vale a pena somente quando a causa é nobre. O valor de uma vitória reside no significado da luta. Lutar simplesmente por lutar, para se mostrar rebelde, não conduz a nada. Use sua energia para construir sua felicidade.

A luta é indispensável para realizar as metas da alma, ou seja, lutar é saudável quando se constrói a felicidade.

O mais importante de tudo é ter a sensação de que viver vale a pena.

Viver a plenitude da experiência de brincar com uma criança ou saborear uma fruta. Apreciar o contato dos pés descalços com um gramado ou com a areia da praia. Perceber o vento batendo no rosto ou a água da chuva escorrendo pelos cabelos. Sentir a alegria de um pescador voltando para casa com o alimento para sua família.

O verdadeiro sucesso é satisfazer sua ânsia de felicidade, cumprir sua vocação de ser feliz. E isso você só consegue quando se relaciona com sinceridade com as pessoas que ama, quando é amigo de seus filhos e, principalmente, quando consegue ser amigo de si próprio.

Ser amigo de si próprio é compreender seus erros; é ser seu cúmplice para enfrentar os desafios; é motivar-se para superar novos obstáculos e, principalmente, desfrutar ao máximo a sensação de felicidade, sem culpa nem medo.

Ser feliz é o mais compensador de todos os sucessos.

Um dia o mestre perguntou aos seus discípulos:

— Se um homem dissesse a Deus que o que mais queria era diminuir o sofrimento no mundo, fosse qual fosse o preço disso para si, e Deus lhe respondesse, deveria esse homem fazer o que lhe tivesse sido ordenado?

— Claro, mestre! Para esse homem deveria ser um prazer sofrer até mesmo as torturas do inferno, desde que Deus assim lhe solicitasse!

— Não importa que torturas fossem essas nem a dificuldade da tarefa? – insistiu o mestre.

— Seria uma honra ser enforcado, uma glória ser pregado a uma árvore e queimado se Deus assim desejasse – responderam os discípulos.

— E o que fariam vocês – perguntou o mestre diante da multidão – se Deus em pessoa lhes falasse diretamente: "Ordeno-lhes que sejam felizes no mundo enquanto viverem."

Fez-se silêncio na multidão, e mais nenhuma voz ou som foi ouvido sobre os morros e pelos vales...

Ilusões, RICHARD BACH

Para ser feliz, é importante se sentir realizado e pleno na vida.

A felicidade acontece agora!

Não deixe sua vida para depois

Quando comecei minha carreira como médico, eu cuidava de pacientes terminais. Vi, por isso, muita gente falecer, mas percebia que a maioria das pessoas morria arrependida. Em geral, elas sofriam por não ter prestado atenção principalmente a três aspectos.

Muitas pessoas se arrependiam na hora da morte por não ter ido atrás do grande amor da sua vida, e esse era o arrependimento mais frequente; as pessoas lamentavam não ter aberto espaço para aquela grande paixão acontecer.

Lembro-me de uma velhinha que me confidenciou:

— Doutor, eu preciso contar um segredo, por favor, escute-me.

Surpreso, concordei em ouvi-la. Ela continuou:

— Doutor, eu não amava meu marido, vivi a vida inteira ao lado dele, mas não o amava. Eu amava mesmo, doutor, o seu Antônio, do açougue. Todo dia eu dava um jeito de ir até lá, ano após ano. Eu podia ir uma vez por semana, mas ia todos os dias, só para ver o seu Antônio. Quando ele me entregava o pacote de carne e me olhava, eu ficava com as pernas bambas. Você já ficou com as pernas bambas, doutor?

Eu tive vontade de responder:

— Eu estou com as pernas bambas agora.

— Doutor, eu nunca contei para ninguém e me arrependo tanto, me arrependo tanto de nunca ter falado para ele! Porque a minha impressão é que ele também gostava de mim.

As pessoas muito frequentemente também se arrependiam por não ter valorizado seus companheiros. Quantas mulheres, na hora da morte, arrependiam-se e desabafavam:

— Sabe, doutor, eu fui muito mesquinha. Meu marido me amava tanto e eu passei a vida inteira brigando com ele só porque deixava o jornal esparramado pela casa. Eu passei a vida inteira brigando com ele só porque ele ficava tomando cerveja com os amigos em vez de ir direto para casa. Sabe, doutor, às vezes ele me convidava para sair e eu dizia: "Não, vamos ficar em casa, a gente precisa tomar conta da casa, senão vão roubar." Como eu me arrependo por não ter curtido meu marido!

Os homens também se arrependiam:

— Sabe, doutor, a felicidade da minha mulher era me fazer feliz, ela sempre procurou realizar todos os meus desejos, todas as minhas vontades e eu não consegui transmitir meu amor para ela. Eu nunca tive coragem de fazer um gesto de amor espontâneo. Eu conseguia dar um abraço, um beijo, no aniversário, no Natal. As nossas relações sexuais eram sempre rápidas e eu nunca me preocupei em saber se ela estava satisfeita. Nunca realizei um pedido dela na hora, sempre fazia com que ela implorasse durante um ano, dois, só para mostrar que era eu quem mandava em casa. Como eu me arrependo disso, doutor!

A segunda coisa de que as pessoas se arrependem na hora da morte é de não ter ficado o bastante com os filhos. E, quando eu falo isso, você, que trabalha fora, talvez pense: "Roberto, será que é melhor deixar de trabalhar para cuidar de meus filhos em período integral?"

Minha resposta é não. Seu filho não vai aguentar você o dia inteiro. Já se imaginou perguntando a toda hora: "Já escovou os dentes? Já lavou o rosto? Já tomou banho? Já fez a lição de casa?" Seu filho não precisa de você o dia inteiro, mas certamente você precisa dispor de um tempo para ficar com ele.

Hoje, com tantas exigências do mundo, ainda existem mães que cuidam dos filhos o tempo todo, mas não conseguem, de verdade, olhá-los nos olhos e transmitir seu amor.

Na verdade, a gente vê muitos pais que se sacrificam para dar o melhor a seus filhos, mas quando eu pergunto: "Você falou para o seu filho que o ama?" a resposta normalmente é: "Não, Roberto, eu não disse, mas ele sabe que eu o amo, sabe que eu gosto dele."

É importante verbalizar o amor por seu filho. É importante conseguir aproveitar aquele momento entre você e seu filho porque, certamente, essa relação é essencial para que você sinta que a vida valeu, e vale, a pena.

Uma história de meu pai

Um dia, quando já era médico, fui passar um fim de semana na casa dos meus pais, em Santos. No sábado à noite, resolvi sair e, quando retornei, lá pelas duas da madrugada, percebi a luz acesa no escritório de meu pai.

Dei um sorriso, daqueles que filho dá quando sente que é uma oportunidade para fazer uma brincadeira com o velho. Meu pai sempre foi uma pessoa exigente e disciplinada e me lembrava o tempo todo de apagar as luzes da casa. Imediatamente, pensei: "Amanhã cedo vou atazanar o velho."

Caminhei em direção ao escritório para apagar a luz e percebi que lá dentro estava alguém. Fiquei surpreso, pois meu pai nunca dormia depois das onze da noite.

Seria um estranho? Um ladrão? Quem estaria lá? Entrei com a ousadia e a impulsividade comuns aos jovens, mas, quando cheguei perto, ouvi o choro de meu pai.

Acho que foi a primeira vez que o vi chorando. Preocupado com a possibilidade de estar acontecendo alguma desgraça, entrei e perguntei:

— Pai, o que está havendo?

Ele olhou para mim com uma expressão muito angustiada e disse:

— Sabe, filho, estou muito triste, porque sinto que perdi a minha vida. Realizei todas as metas a que me propus: fui uma criança pobre que queria ter dinheiro, e consegui dinheiro; queria ter uma casa linda, e a gente tem; queria conquistar o respeito das pessoas, e hoje elas me respeitam. Realizei todas as minhas metas, filho, mas não consegui ser feliz... Não vi vocês crescendo e tenho a sensação de que não vivi em paz. É muito triste, filho. Depois de dois enfartes, tenho a impressão de que vou morrer sem ter conseguido ser feliz. Fiz as coisas que os outros esperavam que eu fizesse, que desejavam que eu fizesse, mas fico me perguntando se fiz as coisas que me fariam feliz. Agora tenho a sensação de que é muito tarde para viver.

Ficamos conversando durante muito tempo e, quando os raios da manhã penetraram entre as frestas da janela, já mais calmo, ele me contou:

— Sabe, filho, às vezes percebo você correndo atrás do sucesso e se esquecendo da vida, esquecendo de si mesmo. Quero lhe pedir que não viva simplesmente para ter o sucesso e a admiração dos outros, viva para ser feliz. Não quero que, no futuro, você conclua que conseguiu a admiração de todos, mas não foi feliz, pois a dor é muito grande.

A gente se abraçou e, a partir daquele momento, algo mudou entre nós. Passamos a ser amigos de verdade. Depois dessa conversa, meu pai ainda viveu mais ou menos quinze anos e, quando ele se foi, deixou uma herança muito especial: a transformação que fez em sua vida.

Ele mudou intensamente. Nos últimos anos, tornou-se mais afetivo, mais carinhoso, frequentemente ligava para dizer que estava com saudade e a gente conversava muito. Lembro-me dos seus últimos anos de vida como um presente muito lindo que recebi.

A terceira coisa de que as pessoas se arrependem na hora da morte é de não ter procurado realizar seus sonhos. De ter fugido dos desafios.

Quantas pessoas me diziam: "Sabe, doutor, eu me arrependo muito de não ter ido atrás dos meus sonhos. Eu queria ser advogado, mas fiquei cuidando da fazenda de meu pai. Eu odiava a fazenda, odiava boi, não tinha paciência para ficar naquele silêncio, queria a agitação da cidade. Mas fiquei lá porque meu pai me pediu e era o jeito mais fácil de ganhar dinheiro".

Muitas pessoas, na hora da morte, dizem:

— Sabe, doutor, a vida me enganou. Eu me sacrifiquei tanto, trabalhei demais, agora que eu ia começar a viver vejo que não tenho mais tempo. Se eu pudesse viver de novo, faria tantas coisas diferentes! Por favor, não me deixe morrer!

A vida não engana ninguém. A vida está aí ao seu lado. Você pode conversar com ela, ouvi-la e olhá-la. Você pode senti-la dentro de você. Ela o está orientando o tempo todo; se não escutá-la o preço será muito alto.

Minha mãe, quando me via trabalhando muito, com vários compromissos, estressado, sem aproveitar a vida, dizia:

— Filho, o caixão não tem gavetas. Não adianta acumular coisas. Dê um jeito de ser feliz agora.

Esta é a pergunta fundamental do filme da vida: O que você precisa para ser feliz agora, já?

Muitas pessoas pensam que a felicidade somente será possível depois de alcançar algo, mas a verdade é que deixar para ser feliz amanhã é uma maneira de ser infeliz.

Quando você estiver frustrado com alguém, sentindo-se triste com sua vida, pergunte: "O que eu preciso para ser feliz neste momento?"

Na Índia, aprendi a cumprimentar as pessoas perguntando: Você está feliz?

Os indianos procuram lembrar aos amigos a importância da felicidade.

As coisas que nos levam à felicidade são simples.

Você está feliz?

LAMBUZE-SE DE VIDA

Não coma a vida com garfo e faca. Lambuze-se!

Não guarde a vida para o futuro.

Mesmo que a vida esteja na geladeira, se você não a viver, ela irá se deteriorar.

Não faça como tantas pessoas que se sentem emboloradas na meia-idade por terem guardado a vida sem se entregar ao amor, ao trabalho e ao prazer.

Viva de modo a não precisar dizer: "Puxa, passei fome para guardar essas batatas e elas apodreceram".

Ouse ir em frente.

Solte sua alma, seja você.
Mergulhe totalmente na vida.
Chupe a laranja e tire todo o caldo.
Quando a morte chegar, encontrará somente o bagaço.
Nada do que você deveria desfrutar estará contido no bagaço, nada do que precisaria viver restará.
A vida é uma brincadeira.
Não deixe ela ficar muito séria.
Divirta-se!
Viva como se estivesse num jogo.
Seja um jogador, e não um homem de negócios.
Assim você conhecerá muito mais a respeito de Deus, porque o jogador concorda em arriscar.
Ele se permite arriscar tudo na mesa da vida.
Saboreie tudo o que conseguir: as derrotas e as vitórias, a força do amanhecer e a poesia do anoitecer.
A vida é como uma escola.
O que a gente aprende nela tem de ser aplicado para não ser esquecido.
Experimente! Arrisque!
A vida, como a natureza, tem regras muito simples que devem ser respeitadas.
A maioria delas já conhecemos, às vezes até intuitivamente.
A vida é a única verdade que existe. Não existe outro Deus além dela.
Então, permita-se ser dominado pela vida em todas as suas formas, cores e dimensões, por todo o arco-íris e as notas musicais.
Aprenda a lidar com a vida de uma maneira serena.
A receita é simples: entregue-se.
Não apresse o rio. Deixe que ele o leve até o oceano.
Descanse e siga seu curso.
Relaxe.

Não fique tenso e não crie nenhuma divisão entre matéria e espírito.

A existência é uma só.

Matéria e espírito são simplesmente lados da mesma moeda.

Não fique sóbrio. Os sóbrios permanecem mortos.

Embriague-se, beba o vinho da existência. Ele contém muita poesia, muito amor e muito suco.

Receba os raios de sol em sua face, beba o orvalho à luz do luar.

Você poderá desabrochar a qualquer momento.

Você nasceu e certamente vai morrer algum dia.

Mas algo já existia em você antes de seu nascimento e algo de você vai permanecer após sua morte.

E esse algo se chama vida.

A vida eterna.

Eternamente viva.

Por isso, não perca a chance de ser feliz!

Curta a vida!

Talvez, ao me ouvir falar em felicidade, você se pergunte se eu não tenho problemas, se tudo dá sempre certo para mim, se nunca passei por uma grande dificuldade que me tenha deixado marcas, como ocorre com a maioria das pessoas.

É claro que sim, sou como todo mundo. Tenho angústias, fico estressado, as pessoas às vezes me traem, mas eu procuro comer os morangos da vida.

Um sujeito estava caindo em um barranco e se agarrou às raízes de uma árvore. Em cima do barranco, havia um urso imenso querendo devorá-lo. O urso rosnava, mostrava os dentes, babava de ansiedade pelo prato que tinha à sua frente.

Embaixo, prontas para engoli-lo quando caísse, estavam nada mais nada menos que seis onças tremendamente famintas.

Ele erguia a cabeça, olhava para cima e via o urso rosnando. Abaixava depressa a cabeça para não perdê-la na sua boca. Quando o urso dava uma folga, ouvia o rugido das onças, próximas do seu pé.

As onças embaixo querendo comê-lo, e o urso em cima querendo devorá-lo.

Em determinado momento, ele olhou para o lado esquerdo e viu um morango vermelho, lindo, com aqueles pontinhos dourados refletindo o sol.

Num esforço supremo, apoiou seu corpo, sustentado apenas pela mão direita, e, com a esquerda, pegou o morango.

Quando pôde olhá-lo melhor, ficou inebriado com sua beleza. Então, levou o morango à boca e se deliciou com o sabor doce e suculento.

Foi um prazer supremo comer aquele morango tão gostoso.

Deu para entender?
Talvez você me pergunte: "Mas, e o urso?"
Dane-se o urso e coma o morango!
E as onças?
Azar das onças, coma o morango!
Às vezes, você está em sua casa no final de semana com seus filhos e amigos, comendo um churrasco. Percebendo seu mau humor, sua esposa lhe diz:

— Meu bem, relaxe e aproveite o domingo!
E você, chateado, responde: "Como posso curtir o domingo

se amanhã vai ter um monte de ursos querendo me pegar na empresa?"

Relaxe. Viva um dia por vez. E coma os morangos!

Problemas acontecem na vida de todos nós, até o último suspiro. Sempre existirão ursos querendo comer nossa cabeça e onças, arrancar nossos pés. Isso faz parte da vida e é importante que saibamos viver dentro desse cenário. Mas nós precisamos saber comer os morangos, sempre.

A gente não pode deixar de comê-los somente porque existem ursos e onças.

Você pode argumentar:

— Roberto, eu tenho muitos problemas para resolver.

Problemas não impedem ninguém de ser feliz.

O fato de seu chefe ser um chato não é motivo para você deixar de gostar de seu trabalho. O fato de sua mulher estar com tensão pré-menstrual não os impede de tomar sorvete juntos. O fato de seu filho ir mal na escola não é razão para não dar um passeio pelo campo.

Coma o morango, não deixe que ele escape. Poderá não haver outra oportunidade de experimentar algo tão saboroso. Saboreie os bons momentos.

Sempre existirão ursos, onças e morangos. Eles fazem parte da vida. Mas o importante é saber aproveitar o morango, porque, o urso e a onça, não dá para aproveitar.

Coma o morango quando ele aparecer. Não deixe para depois.

O melhor momento para ser feliz é agora.

O futuro é uma ilusão que sempre será diferente do que imaginamos.

As pessoas veem o sucesso como uma miragem. Como aquela história da cenoura pendurada na frente do burro que nunca a alcança. As pessoas visualizam metas e, quando as realizam, descobrem que elas não trouxeram felicidade. Então, continuam avançando e inventam outras metas que também não as tornam felizes. Vivem esperando o dia em que alcançarão algo que as deixará felizes.

Elas esquecem que a felicidade é construída todos os dias.

A felicidade não é algo que você vai conquistar fora de você.

A felicidade é algo que vive dentro de você, do seu coração.

A felicidade é a oportunidade que você cria para ser o artista da sua autocriação.

Eu aqui, no meu canto, torço para que você descubra a sua maneira de ser feliz.

Com o carinho de sempre,

ROBERTO SHINYASHIKI

GERENTE EDITORIAL
Alessandra J. Gelman Ruiz

EDITORA DE PRODUÇÃO EDITORIAL
Rosângela de Araujo Pinheiro Barbosa

CONTROLE DE PRODUÇÃO
Elaine Cristina Ferreira de Lima

REVISÃO
Cissa Tilelli Holzschuh/Sieben Gruppe

PROJETO GRÁFICO
Kiko Farkas/Máquina Estúdio

DIAGRAMAÇÃO
Cissa Tilelli Holzschuh/Sieben Gruppe

CAPA
Multisolution

Copyright © 1997, 2012 by Roberto Shinyashiki
Todos os direitos desta edição são reservados à Editora Gente.
Rua Pedro Soares de Almeida, 114
São Paulo, SP – CEP 05029-030
Tel.: (11) 3670-2500
Site: www.editoragente.com.br
E-mail: gente@editoragente.com.br

Este livro foi impresso pela Gráfica Assahi
em papel UPM Book Creamy 60g em
fevereiro de 2020.

Dados Internacionais de Catalogação na Publicação (CIP)
(Câmara Brasileira do Livro, SP, Brasil)

Shinyashiki, Roberto
O sucesso é ser feliz / Roberto Shinyashiki. – São Paulo: Editora Gente, 1997 (1ª ed.). 2012 (Edição revitalizada).

ISBN 978-85-7312-774-4
1. Autoconhecimento 2. Conduta de vida 3. O eu 4. Felicidade 5. Meditação 6. Psicologia aplicada I. Título.

97-3634   CDD-158.1

Índices para catálogo sistemático:
1. Autoconhecimento: Felicidade: Psicologia aplicada 158.1
2. O eu: Desenvolvimento: Felicidade: Psicologia aplicada 158.1